KLEINE
BETTLEKTÜRE
FÜR
NETTE
NACHBARN

Kleine
Bettlektüre
für
nette
Nachbarn

Scherz

AUSGEWÄHLT VON
KATHARINA STEINER

Scherz Verlag, Bern München Wien

INHALT

6

Kein Mensch ist so reich,
daß er nicht seinen Nachbarn brauchte.

Polnisches Sprichwort

––––––––

HERBERT SCHMIDT-KASPAR

Die Nachbarn hinter der Wand

Es war ein Glücksfall, daß ich in der übervölkerten Stadt eine Wohnung fand. So nahm ich das erstbeste Angebot an und machte mir keine Gedanken darüber, wer hinter der Wand meines Schlafzimmers lebt.

Es ist auch unnötig, diese Frage zu stellen. Meine Nachbarn, wer sie auch sein mögen, sind unauffällige, wohlerzogene Menschen. Niemals stören sie mich durch ein überlaut eingestelltes Rundfunk- oder Fernsehgerät. Sie besitzen offenbar weder einen Staubsauger noch einen Küchenmixer, keinen Hund, keinen Teppichklopfer oder gar Kinder. Sie scheinen ein Leben ruhevoller Harmonie zu führen. Ich habe sie nie streiten gehört, und mein Anstandsgefühl wurde niemals dadurch verletzt, daß sie sich vernehmlich liebten. Vermutlich haben sie Nägel in die Wände geschlagen, um Bilder aufzuhängen. Damit aber waren sie entweder schon fertig, als ich in meine Wohnung zog, oder sie haben rücksichtsvollerweise einen Zeitpunkt abgewartet, zu dem ich außer Hause weilte.

Denn es sei zugegeben, daß meine Lebensweise mir genaue Aufmerksamkeit unmöglich macht. Wenn auch kein eigentlich armer, so bin ich doch ein Mann, der sich durch Arbeit ernährt. Um halb acht verlasse ich das Haus, und ich komme nicht vor sechs Uhr nachmittags zurück. Während meine Wohnung leersteht, mag vieles geschehen, von dem ich nie erfahre. Ich kann es mir nicht leisten, ganze Tage zu Hause zu verbringen. Nur an Sonn- und Feiertagen bleibt mir Zeit zu eingehenderen Beobachtungen. Es scheint aber, daß meine Nachbarn ein Kraftfahrzeug, ein Wochenendhaus oder eine Schwiegermutter auf dem Lande besitzen. Vielleicht sind sie auch Mitglieder eines Schrebergartenvereins, eines Nudistenklubs, sind Alpinisten oder Verkäufer von Reformzeitschriften. Jedenfalls verbringen sie die freien Tage nie daheim. Oder, wenn sie es dennoch tun, so bleiben sie ruhig im Bett liegen, gehen nicht hin und her, führen keine lauten Gespräche und verrichten keine lärmenden Arbeiten.

Alles wäre einfacher, wenn wir nicht nur Wand an Wand, sondern auch Tür an Tür wohnten. Das Haus, in dem ich lebe, ist jedoch von verhältnismäßig enger Grundfläche. Es beherbergt in jedem Stockwerk nur ein einzelnes Appartement ohne

Flurnachbarn. Auch genügt es nicht, daß ich zur Haustür hinabsteige, die Front des Blocks bis zum nächsten Tor entlanggehe, dieses öffne und wiederum die Treppen erklimme. Die Leute hinter der Wand wohnen nicht Seite an Seite, sondern Rücken an Rücken mit mir. Um sie ausfindig zu machen, müßte ich erst unseren ganzen Häuserblock bis zu seinem Ende abschreiten. Sodann müßte ich die abschüssige Querstraße hinunter- und die Parallelstraße wieder zurückgehen. Da die letztere aber tiefer liegt als unsere Straße, da die Blöcke dort anders angelegt sind und auch die Höhe und Anzahl der Stockwerke nicht mit der in unseren Häusern übereinstimmt, so bin ich nicht sicher, ob ich mir den Grund- und Aufriß des ganzen Komplexes genau genug vor Augen führen könnte, ob ich nicht letztlich doch ein falsches Haustor, einen falschen Treppenaufgang wählen, ein Stockwerk zuviel oder zuwenig hinaufsteigen würde und schließlich vor völlig gleichgültigen Menschen stünde, anstatt vor den gesuchten. Zumindest könnte ich nie gewiß sein, daß jene, mit denen ich gesprochen hätte, wirklich die sind, die hinter der Wand meines Schlafzimmers wohnen.

Angenommen aber, es gelänge mir – sagen wir mit Hilfe einer Bussole, eines Schrittmessers und eines Sextanten –, die unbezweifelbar richtige Tür, das richtige Stockwerk, den richtigen Klingelknopf zu finden: Was geschähe, sobald ich diesen

Knopf gedrückt hätte? Schritte würden hörbar, die Tür täte sich auf, ich würde die Hausfrau erblicken. «Guten Abend», würde ich sagen. «Ich bin Ihr Nachbar. Nicht der zur Rechten oder zur Linken, auch nicht der, der über oder unter Ihnen wohnt. Ich lebe hinter der Wand, in der anderen Straße. Weil ich nie von Ihnen gehört habe, bin ich gekommen, Sie zu sehen.»

«Und Sie wünschen?» Die Dame würde einen hilfesuchenden Blick nach rückwärts richten, von wo der Gatte, unwillig, zu ihrem Beistand geeilt käme. Die beiden würden ohne Verständnis und ein wenig ratlos meine Erklärung anhören. Dann, so bin ich überzeugt, schlössen sie mir die Tür ins Gesicht, nicht allzu laut zwar, aber mit Bestimmtheit. Wofür würden sie mich halten? Für einen Handelsvertreter, der sich einen besonders aufdringlichen Trick ausgedacht hat? Für einen Einbrecher, der sein Gelände bei Tageslicht erkundet? Für einen Lüstling, den seine Begierde zu kranker Unverfrorenheit aufpeitscht? Wird man die Nachbarn zu Hilfe rufen, den Hausmeister, die Polizei?

Wahrscheinlich aber wäre die Szene noch eine ganz andere, und meine Vorstellung von den Leuten hinter der Wand ist überhaupt falsch. Ich will gestehen, daß ich sie mir immer als Ehepaar denke, etwa Mitte der Dreißig ihn, sie Ende der Zwanzig. Ich nehme an, daß er Angestellter, Beamter oder Facharbeiter ist, seiner Frau ab und zu beim Geschirrspülen hilft, jährlich einen neuen Anzug kauft, Anhänger eines Fußballklubs ist und seine Freizeit mit Markensammeln oder mit Bastelarbeiten verbringt. Die beiden besitzen einen Volkswagen, Elektroherd, Kühlschrank und Fernsehgerät. Zwar haben sie noch keine Kinder (denn die würde ich bemerken), aber sie wünschen sich doch welche und werden das erste demnächst bekommen.

Was berechtigt mich zu diesem Bilde? Gestehen wir es unumwunden: nichts. In ihm spiegelt sich lediglich meine eigene Neigung zu alltäglichen, bürgerlich durchschnittlichen Verhältnissen. Ich habe den Hang, mir meine Mitmenschen brav, ohne Arg, Phantasie und persönlichen Zauber vorzustellen. Und dies, obwohl mein Verstand mir sagt, daß ich eine große Torheit damit begehe. In Wirklichkeit gibt es ja keine abwegigere Annahme als die, daß wir jemals dem sogenannten Normalen begegnen könnten. Wahrscheinlich also existiert jenes nette und ein bißchen banale Ehepaar nur in der Welt meiner Hirngespinste. Die Besitzer der Nachbarwohnung sehen in Wirklichkeit anders aus.

Es könnte sich um eine ältere Witwe handeln, welche, nach Vergiftung des Gatten, ihre Liebeskraft der Obsorge für einen hagestolzen Sohn widmet, der in Nächten eifrigen Studiums seine Habilitation zum Professor der Entomologie vorbereitet. Deshalb sind alle Wände mit Glaskästen voll präparierter Maulwurfsgrillen, Gottesanbeterinnen, Zecken und Ameisenlöwen behängt. Oder es sind levantinische Emigranten, die sich neben meinem Schlafzimmer Gedanken über die beste Sprengstoffmischung machen, mit der sie zu guter Stunde den vorläufig letzten in der Reihe heimatlicher Diktatoren beseitigen könnten. Vielleicht hausen dort aber auch nur zwei ältere, im Grunde harmlose Gentlemen. Wird dort Opium geraucht oder mit neuartigen Drogen experimentiert? Treibt ein Heiratsschwindler sein Wesen, beredet nichtsahnende Frauenzimmer, ihm ihre Ersparnisse auszuhändigen, und deponiert sterbliche Überreste in der mit Salzsäure gefüllten Badewanne?

Wer aber wird gleich das Schlimmste annehmen? Vielleicht lebt dort nur ein einsamer Mann wie ich selbst. Vielleicht arbeitet er an einer Erfindung oder an einem Buch; an einem Werk, von dem die Welt nie erfahren wird. Dem Schöpfer nämlich fehlt es an Verbindungen, an Energie und Unverfrorenheit, die Öffentlichkeit auf sich aufmerksam zu machen. Er läßt sich daran genügen, den Raum menschlichen Denkens, menschlicher Erfahrung ausgeweitet zu haben. Freilich könnte es sich auch um eine unverheiratete Dame handeln: nicht mehr jung, aber immer noch von anmutiger Gestalt, Spuren vergangener Schönheit im Gesicht. So trauert sie auf liebenswert altmodische

Art einem ungetreuen Liebhaber nach. In der Wohnung riecht es nach Tee und verschlissener Seide. Niemand behaupte mir, daß es eine solche Person heute nicht mehr geben könne. Wirklich ist immer gerade das, was wir für unmöglich halten.

Wer es auch sei: Es ist nicht gesagt, daß Witwen, Insektenkundler, Verschwörer, Homosexuelle, Rauschgiftsüchtige, Heiratsschwindler, Genies oder romantische Liebende auf jeden Fall schlechte, unfreundliche Nachbarn abgeben müßten. Im Grunde möchte jeder, was immer er treibe, auf gutem Fuß mit seiner Umwelt stehen. Am schwierigsten, unzugänglichsten wären wahrscheinlich, von allen denkbaren Nachbarn, die beiden jungen Eheleute. In ihrer Lebenslage kann man sich, wenn auch nur für kurze Zeit, der Täuschung hingeben, man sei einander völlig genug, der Umgang mit Außenstehenden sei weder nötig noch wünschbar. Geduldiger Freundlichkeit müßte es gelingen, selbst eine solche nicht unsympathische, wenn auch von mangelnder Lebenserfahrung zeugende Zurückhaltung zum Schmelzen zu bringen.

Es kommt nur darauf an, sich bemerkbar zu machen. Ich fing ganz bescheiden damit an, meinen Radioapparat etwas lauter zu stellen als sonst. Auch kaufte ich einen Fernseher und ließ beide Geräte gleichzeitig laufen. Ich schaffte mir ein neues Büchergestell an, eines von den modernen, deren Stahlrahmen mittels vergipster Haken an die Wand gehängt werden. Diese Arbeit führte ich nachts, zwischen ein Uhr und drei Uhr aus. Aus dem Elektromotor meines Staubsaugers baute ich die Isolatoren aus. Dann setzte ich ihn in Gang, und zwar genau zur Zeit der Abendnachrichten und der Tagesschau, so daß in den Lautsprechern der näheren Umgebung ein Knattern, auf den Leuchtschirmen Bildstörungen auftreten mußten. Öfters bat ich Freunde mit ihren Frauen oder Bräuten zu mir, gab ihnen viel Alkohol, legte Rheinlieder auf den Plattenspieler, erteilte Unterricht in den neuesten Modetänzen. Später lud ich zu diesen Festen auch einzelne Damen, wie man sie auf der Straße leicht kennenlernt. Wenn alle anderen Gäste gegangen waren, kurz vor der Morgendämmerung, verweigerte ich jenen Geschöpfen die Bezahlung. Die meisten von ihnen erhoben dann ein schrilles Geschrei und warfen mir Schimpfwörter an den Kopf, deren Unflätigkeit den Horizont erröten machte. Manch eine, von Enttäuschung und Wut getrieben, zertrümmerte Teile meiner Wohnungseinrichtung und meines Geschirrs. Damit dienten sie, ohne es zu wissen, meinem vorbedachten Zweck. Übrigens muß ich erwähnen, daß ich mir einen Hausgenossen zugelegt habe, einen Hund. Er ist ein Spitz, ein nervöses, etwas hysterisches Exemplar, das jeden Besucher inbrünstig geistesgestört ankläfft, schwer zu beruhigen ist und sich mit der Wut eines Fanatikers in die erwähnten Zwistigkeiten einmischt. In stillen Nächten aber sitzt er unter dem Fenster und jault schneidenden Diskants den Mond an.

Ich war von der Erfahrung ausgegangen, daß anfängliche Mißverständnisse und Streit über Kleinigkeiten oft zu dauerhaften, soliden Freundschaften führen. Entweder aber verleben meine Nachbarn einen längeren Auslandsurlaub oder sie sind Menschen von außergewöhnlicher, beinahe unheimlicher Geduld. Jedenfalls haben sie bis jetzt noch nicht versucht, sich bei mir zu beschweren. Kein unbekanntes – und doch so dringend erwartetes – Gesicht erschien an meiner Wohnungstür. Keine neue Stimme meldete sich am Telefon. Niemals brachte der Briefträger ein Schreiben, das unser Verhältnis endlich begründet und in Gang gesetzt hätte. Nicht einmal das Klopfen eines Besenstiels an die Schlafzimmerwand gab mir Gewißheit, meinem Ziel einen Schritt näher zu sein.

Von seiten der Mieter über und unter mir hingegen, bald auch aus dem Hause gegenüber und selbst aus unserer ganzen Straße, wälzte sich eine Woge giftigen Unverständnisses und Übelwollens auf mich zu. Diese Menschen, die ich allesamt schon lange kenne, die mir gleichgültig sind und von denen ich nichts verlange als meinen lieben Frieden, diese Nullen und Dutzendköpfe scheuen sich nicht, mich auf offener Straße anzureden, mir den Weg zu vertreten und mich aufs gröbste zu beleidigen. Wenn die Türklingel geht, bin ich nie sicher, daß nicht einer von ihnen den Fuß in den Spalt stellen und mit Brachialgewalt in meine Wohnung dringen wird. Zwischen den Stößen dummen Geschreibsels, das sie mir in den Briefkasten stecken, finde ich kaum mehr die Briefe, die mir die Post von meinen Lieben zuträgt.

Ihre Kinder haben sie dazu erzogen, auf der Straße in Trauben hinter mir herzuwimmeln und Steine, Schlamm und Roßäpfel nach mir zu werfen. Tretе ich in den Supermarkt, um Aufschnitt für mein Abendessen, Bier und Steinhäger für meine Geselligkeiten zu besorgen, so stehe ich bald im Kreuzfeuer streitsüchtig funkelnder Matronenblicke, scharf gezischelter Unverschämtheiten. Man scheint das Verkaufspersonal beredet oder vielmehr bestochen und erpreßt zu haben, mich langsam, nachlässig und unhöflich zu bedienen. Andererseits habe ich beobachtet, daß verschiedene Damen, die einander wegen früherer Treppenhausdispute kaum anzusehen pflegten, nun wieder miteinander sprechen. Familien, die als verfeindet galten, laden sich neuerdings zum Nachmittagskaffee oder zum Skatspiel ein. Ich nehme an, daß meine Person das Hauptthema solcher Versammlungen darstellt.

Brauche ich zu erwähnen, daß mir der Hauswirt gekündigt hat? Neulich ließ mich, im Büro, sogar mein Chef zu sich hineinrufen. Man muß mich bei ihm denunziert haben. Er hielt mir einen salbungsvollen Vortrag über die Lebensführung, die er von seinen Mitarbeitern, besonders aber von einem Mann in meiner Stellung erwartet. Auch fragte er, nicht ohne Tücke, nach meiner finanziellen Lage und wunderte sich, daß mein Gehalt mir eine so ungehemmte Gastlichkeit erlaubt. Mit all dem bewies er freilich nichts als die eigene Flachköpfigkeit, seine Unkenntnis der Sachlage, der menschlichen Natur, des Lebens schlechthin.

Gestern schließlich überfiel mich die Polizei. Die verbissene Unverschämtheit, mit der die Bullen Schubläden herauszogen, Kommoden verrückten, unter Betten und Sofas herumschnüffelten, Wände und Fußböden befingerten und sogar den Kühlschrank aufrissen, war um so ärgerlicher und enttäuschender, als all dies nahezu lautlos erfolgte. Auf den empörten Schrei hin, mit dem ich mich nach dem Grund dieses Übergriffs erkundigte, wurde mir der richterliche Durchsuchungsbefehl vor das Gesicht gehalten und eine kaum vernehmliche Antwort geknurrt: Ein Jüngling namens Felix, den ich seiner lauten und ordinären Lache halber zuweilen zu mir hinaufzunehmen pflegte, war fünf Nächte lang nicht in seiner Standkneipe erschienen, und auf mich fiel Verdacht.

Es ist an der Zeit, daß ich die Hoffnung aufgebe. Vielleicht mache ich noch einen letzten Versuch – mit Ekrasit. Wenn aber demnächst der Termin herankommt, werde ich nicht lange mit dem Hauswirt streiten, sondern einfach ausziehen. Ich werde die Wohnung verlassen, das Haus, die Straße, die Stadt, das ganze Land. Weit fort, im Süden, will ich ein neues Leben beginnen: Dort, wo die Frauen ihre Wäscheleinen von Balkon zu Balkon spannen, über die Gassen hinweg; wo man in jeder Toreinfahrt über spielende und bettelnde Kinder stolpert; wo die Männer am hellen Mittag schwatzend im Café sitzen, auf dem Marktplatz zusammenstehen, jeder mit jedem, oder im Schatten der Mauern Trick-Track spielen. Wo die Straßenverkäufer singend Auberginen und Artischocken, Fische, Blechspielzeug und Sorbet anbieten. Wo die Sonne scheint, die Fenster und Herzen offen-, die Zungen nie stillstehen; wo die Gerüche von Knoblauch, Oliven- und Sesamöl aus einer Küche in die andere dampfen.

Gibt es ein solches Land?

BRET HARTE

Tennessees Partner

Ich glaube nicht, daß wir je seinen richtigen Namen erfuhren. Unsere Unwissenheit brachte uns
jedoch bestimmt auch nie in gesellschaftliche Ungelegenheiten, denn im Jahre 1854 wurden in Sandy Bar die meisten Männer ohnehin neu getauft.
Wir kannten ihn also niemals unter einem anderen
als seinem indirekten Namen Tennessees Partner.
Daß er auch als selbständiges Individuum existiert
hatte, erfuhren wir erst später.

1853 hatte er Poker Flat kurz verlassen, um sich
in San Francisco eine Frau zu suchen. Aber er kam
nicht weiter als bis Stockton, wo er sich von einer
jungen Weibsperson angezogen fühlte, die in dem
Hotel, in dem er die Mahlzeiten einnahm, an seinem Tisch bediente. Eines Morgens sagte er etwas
zu ihr, was sie veranlaßte, nicht unfreundlich zu
lächeln, und sich darauf in die Küche zurückzuzie-
hen. Er folgte ihr dorthin und kam nach wenigen
Minuten wieder heraus mit der Glorie des Siegers.

Noch am gleichen Tage wurden sie von einem
Friedensrichter getraut und kehrten nach Poker
Flat zurück. Von ihrem ehelichen Gelübde ist nur
wenig bekannt, vielleicht deshalb, weil Tennessee,
der damals bei seinem Partner wohnte, eines schö-

nen Tages die Gelegenheit ergriff, um der jungen Frau seinerseits etwas zu sagen, worauf sie, wie man sich erzählt, nicht unfreundlich lächelte und sich züchtig zurückzog – diesmal sogar bis nach Marysville, wohin ihr Tennessee folgte und wo sie sich ohne den Spruch eines Friedensrichters zusammentaten.

Tennessees Partner nahm den Verlust seiner Frau schlicht und gefaßt hin, wie es seine Art war. Aber als Tennessee eines Tages von Marysville zurückkehrte, ohne die Frau seines Partners – sie hatte nämlich wieder einmal gelächelt und sich mit einem anderen Mann zurückgezogen – war Tennessees Partner zur Überraschung aller der erste, der ihm die Hand gab und ihn freundlich begrüßte.

Die Männer, die sich im Cañon versammelt hatten, um der Schießerei beizuwohnen, waren natürlich verärgert. Von Tennessee wußte man, daß er ein Spieler war, und man vermutete, er sei auch ein Dieb. In diesen Verdacht schloß man seinen Partner ein. Die Fortdauer seines freundschaftlichen Verkehrs mit Tennessee nach der oben erwähnten Affäre konnte man sich nur so erklären, daß er auch im Verbrechen sein Partner sei.

Schließlich wurde Tennessees Charakter offenkundig. Eines Tages holte er auf dem Weg nach Red Dog einen Fremden ein. Dieser berichtete später, Tennessee habe ihm die Zeit mit interessanten Anekdoten und Erinnerungen vertrieben, aber die Unterhaltung dann recht unlogisch mit folgenden Worten beendet: «Und nun, junger Mann, möchte ich Sie um Ihr Messer, Ihre Pistole und Ihr Geld bitten. Verstehen Sie, Ihre Waffen könnten Sie in Red Dog in Ungelegenheiten bringen, und Ihr Geld bedeutet für böswillige Leute eine Versuchung.»

Man müßte hier einflechten, daß Tennessee einen ausgeprägten Sinn für elegantes Auftreten besaß, der sich auch bei geschäftlichen Tätigkeiten niemals völlig unterdrücken ließ.

Diese Heldentat war seine letzte. Red Dog und Sandy Bar machten gegen ihn gemeinsame Sache. Als sich die Netze um ihn zusammenzogen, machte er einen verzweifelten Ausbruch durch Sandy Bar, leerte seine Revolver gegen die Menge vor dem Arkaden-Salon und stürmte den Grisly-Cañon hinauf, wurde aber an dessen Ende von einem kleinen Mann auf einem grauen Pferd aufgehalten. Die Männer schauten sich einen Moment schweigend an. Beide waren furchtlos, selbstbeherrscht und unabhängig, und beide waren sie typische Vertreter einer Gesellschaftsschicht, die man im siebzehnten Jahrhundert heroisch genannt haben würde, im neunzehnten jedoch einfach – skrupellos.

«Was haben Sie da?» fragte Tennessee ruhig.

«Zwei Trümpfe und ein As», sagte der Fremde

ebenso ruhig und zeigte zwei Revolver und ein Messer.

«Damit stechen Sie mich aus», entgegnete Tennessee, warf seine nutzlose Pistole fort und ritt mit seinem Häscher zurück.

Die Gerichtsverhandlung gegen Tennessee wurde so fair wie möglich von einem Richter und Geschworenen durchgeführt, die sich in gewisser Hinsicht verpflichtet fühlten, mit ihrem Urteilsspruch die Unregelmäßigkeiten bei der Verhaftung und Anklageerhebung zu rechtfertigen. Das Gesetz von Sandy Bar war unerbittlich, jedoch nicht rachsüchtig. Die Aufregung und persönliche Anteilnahme an der Jagd waren vorbei. Nachdem sich Tennessee sicher in ihrem Gewahrsam befand, waren sie bereit, geduldig die Verteidigung anzuhören, die selbstverständlich, wie sie befriedigt dachten, ungenügend sein würde.

Der Richter machte überdies einen besorgteren Eindruck als der Gefangene, der sich völlig unbeteiligt gab und ein grimmiges Vergnügen an der Verantwortung zu finden schien, die er für andere heraufbeschworen hatte.

«Bei diesem Spiel passe ich», das war seine unweigerliche Antwort auf alle Fragen. Einen Augenblick bedauerte der Richter, der auch sein Häscher gewesen war, daß er ihn am Morgen nicht «auf der Stelle» erschossen hatte, aber sofort unterdrückte er wieder diese menschliche Schwäche, die dem Stand eines Richters nicht angemessen war.

Wie dem auch sei – als an die Tür geklopft wurde und jemand sagte, Tennessees Partner sei wegen des Gefangenen draußen, wurde er sofort vorgelassen.

Tennessees Partner war ganz gewiß keine eindrucksvolle Gestalt. Er war kurz und gedrungen, mit einem eckigen Gesicht, das von der Sonne zu einer unnatürlichen Röte verbrannt war, und bekleidet mit einer lockeren Zelttuchjacke und einer Hose, die mit roter Erde verschmiert und bespritzt war. Er trat mit auffallendem Ernst vor, reichte mit etwas gezwungener Herzlichkeit jedem Anwesenden die Hand, wischte sich das ernste, verwirrte Gesicht mit einem roten Taschentuch ab, das nur um eine Schattierung heller war als seine Hautfarbe, legte seine kräftige Hand auf den Tisch, um sich einen Halt zu verschaffen, und wandte sich an den Richter.

«Ich bin gerade mal so vorbeigekommen», begann er entschuldigend, «und da hab' ich mir gedacht, ich könnte mich mal umsehen, wie's mit Tennessee da weitergeht, meinem Partner. Es ist heiß. An so ein Wetter kann ich mich in Sandy Bar nicht erinnern.»

«Haben Sie etwas zugunsten dieses Angeklagten vorzubringen?» fragte der Richter.

«Darum geht's ja», sagte Tennessees Partner erleichtert; «ich bin hierhergekommen als Tennessees Partner – ich kenn' ihn ja so an die vier Jahre, hin und her, naß und trocken, in Glück und Pech. Seine Art ist nicht immer meine Art, aber da gibt's nichts bei diesem jungen Mann, auch keinen Streich, wovon ich nicht irgend etwas wüßte.»

«Ist das alles, was Sie zu sagen haben?» fragte der Richter ungeduldig, denn er fühlte vielleicht, daß eine humorvolle Stimmung aufkommen wollte, die das Gerichtsverfahren in allzu menschliche Bahnen zu lenken drohte.

«Dem ist so», fuhr Tennessees Partner fort, «es steht mir nicht an, etwas gegen ihn vorzubringen. Und nun – worum geht's denn? Nun ja, Tennessee braucht Geld, er braucht es sehr dringend, und es liegt ihm nicht, seinen alten Partner darum zu bitten. Also, was tut Tennessee deshalb? Er lauert einem Fremden auf, und er knöpft sich diesen Fremden vor. Und dann lauern Sie *ihm* auf, und Sie knöpfen sich *ihn* vor – die Sache ist ja ganz klar. Ich überlasse die Entscheidung Ihnen, da Sie ein fairer Mann sind, und auch Ihnen, Gentlemen, die Sie ja ebenfalls faire Männer sind.»

«Angeklagter», sagte der Richter und unterbrach ihn, «haben Sie diesem Mann noch Fragen zu stellen?»

«Nein – halt!» fuhr Tennessees Partner hastig fort. «Diese Runde spiel' ich allein! Um zum Kern der Sache zu kommen: Es steht doch so, daß dieser Tennessee da mit einem Fremden sehr grob umgesprungen ist und auch mit diesem Camp hier. Und was wäre wohl jetzt das Fairste? Einige würden mehr, andere weniger sagen. Ich hab' hier siebzehnhundert Dollar in Goldkörnern und eine Uhr, ungefähr meine gesamte Habe, und damit wäre doch die Geschichte erledigt!» Und noch ehe ihn jemand hindern konnte, hatte er den Inhalt seiner Tasche auf den Tisch geleert.

Einen Augenblick stand wirklich sein Leben auf dem Spiel. Ein oder zwei Männer sprangen auf, einige Hände griffen nach verborgenen Waffen, und der Vorschlag, ihn durchs Fenster hinauszuwerfen, wurde nur durch eine Geste des Richters abgewiesen.

Als die Ruhe wiederhergestellt war und man dem Mann durch kräftige Gesten und Ausdrücke klargemacht hatte, daß Tennessees Verbrechen nicht mit Geld gesühnt werden könnte, wurde sein Gesicht noch ernster und röter. Die ihm am nächsten standen, bemerkten, daß seine rauhe Hand auf dem Tisch leicht zitterte.

Er zögerte einen Moment, ehe er langsam das Gold in die Tasche zurückpackte, als habe er noch nicht ganz den großartigen Gerechtigkeitssinn erfaßt, der das Tribunal erfüllte. Vielleicht verwirrte ihn auch das Gefühl, daß er möglicherweise nicht genug geboten habe. Er schickte sich an, den Raum zu verlassen.

Der Richter rief ihn zurück: «Wenn Sie Tennessee noch etwas zu sagen haben, dann sollten Sie es besser jetzt gleich tun.»

Zum erstenmal an diesem Abend trafen sich die Blicke des Angeklagten und seines seltsamen Anwalts. Tennessee lächelte, daß seine weißen Zähne blitzten, und sagte: «Ausgespielt, mein Alter!» Dann hielt er ihm die Hand hin.

Tennessees Partner ergriff sie und erwiderte: «Ich wollte ja nur mal nachsehen, wie die Sache steht, als ich gerade vorbeikam.» Lustlos ließ er Tennessees Hand fallen, fügte hinzu, es sei «eine warme Nacht», wischte sich wieder das Gesicht mit dem Taschentuch ab und zog sich ohne ein weiteres Wort endgültig zurück.

Die beiden Männer trafen sich im Leben nicht mehr. Die beispiellose Beleidigung, daß man bei Richter Lynch einen Bestechungsversuch unternommen hatte, besiegelte Tennessees Schicksal. Beim ersten Morgengrauen wurde er – scharf bewacht – fortgebracht, um diesem Schicksal auf der Kuppe von Marleys Hügel zu begegnen.

Wie er ihm dort begegnete, wie kühl er war, wie er sich weigerte, irgend etwas zu sagen, wie vollkommen die Anordnungen des Komitees waren – das alles wurde pflichtgemäß unter Hinzufügung einer warnenden Moralpredigt für alle zukünftigen Sünder in der Zeitung von Red Dog berichtet.

Tennessees Partner befand sich nicht unter der

Menge, die den unheilvollen Baum umringte. Aber als die Männer auseinandergingen, wurde ihre Aufmerksamkeit auf die seltsame Erscheinung eines Eselskarrens gelenkt, der am Weg hielt. Als sie näher kamen, erkannten sie in der ehrwürdigen Jenny und dem zweirädrigen Karren sogleich das Eigentum von Tennessees Partner, der gewöhnlich Tier und Karren dazu verwendete, Erdreich von seiner Schürfstelle wegzutransportieren. Ein paar Schritte davon saß auch der Eigentümer des Gefährts allein unter einer Roßkastanie und wischte sich den Schweiß von seinem glühenden Gesicht.

Auf eine Frage sagte er, er sei wegen der Leiche des «Dahingeschiedenen» gekommen, falls es dem Komitee recht sei. Er wünsche nicht, die Sache zu beschleunigen, er könne warten. Er arbeite heute nicht, und wenn die Gentlemen mit dem «Dahingeschiedenen» fertig seien, würde er ihn übernehmen.

«Und wenn jemand hier anwesend ist», fügte er in seiner schlichten, ernsten Art hinzu, «der sich gern der Beerdigung anschließen möchte, dann kann er natürlich mitkommen.»

Vielleicht lag es an dem Sinn für Humor, der ein besonderer Charakterzug von Sandy Bar war, vielleicht aber auch an etwas wesentlich Besserem, jedenfalls nahmen zwei Drittel der Zuschauer die Einladung sofort an.

Es war Mittag, als die Leiche Tennessees den

Händen seines Partners übergeben wurde. Unter dem bewußten Baum bemerkten wir, daß der Karren eine rohe, überlange Kiste enthielt, die offenbar aus Teilstücken einer Siebvorrichtung angefertigt und zur Hälfte mit Fichtenrinde und -zweigen gefüllt war. Der Karren war mit Weidenzweigen und duftenden Kastanienblüten geschmückt. Als die Leiche in der Kiste lag, zog Tennessees Partner ein Stück Zeltleinwand darüber, stieg ernst auf den schmalen Vordersitz des Wagens und trieb den kleinen Esel an.

Das Gefährt rollte langsam an, in jenem schicklichen Tempo, das Jenny gewöhnlich – auch unter weniger feierlichen Umständen – einschlug. Die Männer trotteten halb neugierig, halb scherzend, aber alle gutgelaunt in kleinen Gruppen neben dem Karren her. Ob es nun an einer Verengung des Weges oder an einer plötzlichen Anwandlung von Anstand lag – während der Karren weiterfuhr, schlossen sich seine Begleiter zu Paaren zusammen und folgten ihm; sie glichen sich dem Tempo des Wagens an und fügten sich auch sonst in das Gehabe eines Leichenzuges. Jack Folinsbee, der zu Beginn so getan hatte, als spiele er auf einer imaginären Posaune einen Trauermarsch, unterließ bald diesen unpassenden Spaß.

Der Weg führte durch den Grisly-Cañon, der um diese Zeit von düsteren Schatten verhangen war. Die Redwood-Bäume standen in einer Reihe neben dem Weg und spendeten mit ihren hängenden Zweigen einen seltsamen Segen über die vorbeifahrende Bahre. Ein Hase, vor Überraschung bewegungslos erstarrt, saß aufrecht und zitternd in den Farnen neben der Straße, als der Trauerzug vorbeikam. Eichhörnchen huschten herbei, um einen sicheren Blick von höheren Ästen aus zu erhaschen, und die Häher spreizten ihre Flügel und flatterten wie Vorreiter vor ihnen her, bis der Außenrand von Sandy Bar und die einsame Hütte von Tennessees Partner erreicht waren.

Der Karren hielt vor der Einzäunung, und Tennessees Partner, der alle Hilfsangebote mit dem natürlichen Selbstvertrauen zurückwies, das er bislang gezeigt hatte, nahm den ungefügen Sarg auf den Rücken und legte ihn allein in das flache Grab, das er ausgehoben hatte. Dann nagelte er das Brett fest, das als Deckel diente, bestieg den kleinen Erdhügel, nahm den Hut ab und wischte sich mit dem Taschentuch übers Gesicht. Die Menge hielt dies für die Einleitung zu einer Rede, verteilte sich auf Baumstümpfe und Felsblöcke und setzte sich erwartungsvoll hin.

«Wenn ein Mann», begann Tennessees Partner langsam, «den ganzen Tag herumgerannt ist, was tut er ganz selbstverständlich? Nun, er geht nach Hause. Und wenn er nicht fähig ist, nach Hause zu gehen, was kann dann sein bester Freund tun? Nun, er kann ihn nach Hause schaffen. Und hier haben wir jetzt Tennessee – er ist herumgerannt, und wir bringen ihn nun von seinen Wanderungen nach Hause.»

Er machte eine Pause, hob ein Stückchen Erz auf, rieb es nachdenklich an seinem Ärmel und fuhr fort: «Es ist nicht das erstemal, daß ich ihn mir auf den Rücken geladen habe, wie ihr es gerade gesehen habt. Und ich hab' ihn auch nicht zum erstenmal in diese Hütte gebracht, weil er sich selbst nicht mehr helfen konnte. Ich und Jenny haben schon öfter auf dem Hügel dort auf ihn gewartet, ihn aufgeladen und heimgebracht, wenn er nicht reden konnte und mich nicht mehr erkannte. Und jetzt ist es also das letztemal – nun ja», er machte wieder eine Pause und rieb das Erzstückchen sanft über seinen Ärmel, «versteht ihr, das ist für seinen Partner ziemlich hart. Und nun, Gentlemen», fügte er unvermittelt hinzu und packte eine Schaufel, «ist die Beerdigung vorüber. Nehmt für eure Mühe meinen und Tennessees Dank.»

Er ließ sich wieder nicht helfen, als er daranging, mit dem Rücken zur Menge das Grab zuzuschaufeln. Nach kurzem Zögern entfernten sich die Männer, und als sie den kleinen Kamm überquerten, der Sandy Bar den Blicken entrückte, meinten einige, sie könnten Tennessees Partner nach getaner Arbeit auf dem Grab sitzen sehen, die Schaufel zwischen den Knien und das Gesicht in seinem roten Taschentuch vergraben. Andere jedoch wandten dagegen ein, man könne auf eine solche Entfernung sein Gesicht nicht von dem Tuch unterscheiden, und so blieb diese Frage ungelöst.

Nach der fieberhaften Erregung jenes Tages wurde Tennessees Partner nicht vergessen. Die Leute von Sandy Bar machten es sich zur Aufgabe, ihn zu besuchen und ihm die verschiedensten rauhen, aber wohlgemeinten Freundlichkeiten anzubieten. Aber von jenem Tag an schienen seine gute Gesundheit und seine Kraft sichtlich dahinzuschwinden, und als die Regenzeit richtig einsetzte und schmale Grashalme aus dem steinigen Hügel über Tennessees Grab zu sprießen begannen, wurde er bettlägerig.

Eines Nachts, als die Fichten neben der Hütte im Sturm schwankten und mit ihren schlanken Fingern über das Dach strichen, als man tief unten das Tosen und Wüten des angeschwollenen Flusses hören konnte, hob Tennessees Partner den Kopf vom Kissen und sagte: «Es wird Zeit, Tennessee zu holen, ich muß Jenny vor den Karren spannen!» Er wäre aus dem Bett gestiegen, wenn sein Pfleger ihn nicht daran gehindert hätte.

Er wehrte sich und fuhr dann, immer noch in seinen seltsamen Phantasien befangen, fort: «Aber, aber, ruhig, Jenny – ruhig, meine Alte! Wie dunkel es doch ist! Gib auf die Furchen acht –

und auch auf ihn, altes Mädchen. Weißt du, wenn er stockbetrunken ist, fällt er manchmal mitten auf der Straße hin. Lauf nur geradezu hinauf zur Fichte auf dem Berggipfel. Da! Ich hab's dir doch gesagt – da ist er. Kommt auch diesen Weg, ganz allein, nüchtern, und sein Gesicht glänzt. Tennessee! Partner!»

Und so trafen sie sich wieder.

GOTTFRIED KELLER

Festessen

Als die Kirchentüren sich auftaten, drängte ich mich geschmeidig durch die vielen Leute, ohne die Freude meiner Freiheit sichtbar werden zu lassen und ohne jemanden anzustoßen, und war bei aller Gelassenheit doch der erste, der sich in einiger Entfernung von der Kirche befand. Dort erwartete ich meine Mutter, welche sich endlich in ihrem schwarzen Gewande demütig aus der Menge hervorspann, und ging mit ihr nach Hause, gänzlich unbekümmert um meine geistlichen Unterrichtsgenossen. Es war kein einziger darunter, mit welchem ich in näherer Berührung stand, und viele derselben sind mir bis jetzt noch gar nicht wieder begegnet. In unserer warmen Stube angekommen, warf ich vergnügt mein Gesangbuch hin, indessen die Mutter nach dem Essen sah, welches sie am Morgen in den Ofen gesetzt hatte. Es sollte heute, nachdem ich zum ersten Mal das Abendmahl genommen hatte, so reichlich und festlich sein, wie unser Tisch seit den Tagen des Vaters nie mehr gesehen, und eine arme Nachbarin war dazu eingeladen, die der Mutter manche kleine Dienste leistete und sich jetzt pünktlich einfand. Am Weihnachtstage wird immer das erste Sauerkraut genossen, und so wurde es auch hier aufgestellt mit schmackhaften Schweinsrippchen. Die Beurteilung desselben gab den Frauen einen guten Anfang zum Gespräche.

Die Nachbarin war von ebenso gutmütiger als polternder Gemütsart; als hierauf eine kleine Pastete kam, schlug sie die Hände über dem Kopfe zusammen und versicherte, sie esse gewiß nichts davon, es wäre schade dafür. Den Schluß machte ein gebratener Hase, den der Oheim gesendet hatte. Diesen, ermahnte die Frau, sollten wir unangetastet lassen und auf den zweiten Feiertag versparen, es sei nun schon mehr als genug; trotzdem aßen wir alle und saßen lange bei Tisch, aufs beste unterhalten von der armen Frau, welche die Tischreden mit der Erzählung ihres Schicksals durchflocht und die Schleusen ihres Herzens weit öffnete. Sie hatte vor langer Zeit einmal ein Jahr lang einen nichtsnutzigen Mann gehabt, der in alle Welt gegangen mit Hinterlassung eines Sohnes, welchen sie mit großer Not so weit gebracht, daß er als Geselle bei Dorfschneidern sich kümmerlich umhertreiben konnte, während sie in der Stadt ihr Brot mit Wassertragen, Waschen und solchen Dingen verdienen mußte. Schon die Beschreibung ihres Mannes, des Lumpenhundes, wie sie ihn nannte, machte uns höchlich lachen, doch noch mehr das Verhältnis, in welchem sie zu ihrem Sohne stand. Während sie ihn als eine Frucht des Lumpenhundes mit der größten Verachtung bezeichnete, war derselbe doch der einzige Gegenstand ihrer Liebe und ihrer Sorge, so daß sie fortwährend von ihm sprach.

Sie gab ihm alles, was sie irgend konnte, und gerade die Kleinheit dieser Gaben, die für sie so viel waren, mußte uns rühren und zugleich zum Lachen reizen, wenn sie die «Opfer», welche sie fortwährend bringe, mit gutmütiger Prahlerei aufzählte. Letzte Ostern, erzählte sie, habe er ein rot und gelbes Kattunfoulard von ihr erhalten, auf Pfingsten ein Paar Schuh, und zu Neujahr hätte sie ihm ein Paar wollene Strümpfe und eine Pelzkappe bereit, dem miserablen Kerl, dem Knirps, dem Milchsuppengesicht! Seit drei Jahren hätte er an zwei Louisdour nach und nach von ihr empfangen, der Säuberling, die elende Krautstorze. Aber für alles müsse er ihr eine Bescheinigung zustellen,

denn so wahr sie lebe, müsse ihr Mann, der Land-
streicher, ihr jeden Liard ersetzen, wenn er sich
nur einmal sehen ließe. Die Bescheinigungen ihres
Sohnes, des Stuhlbeines, seien sehr schön, denn
derselbe könne besser schreiben als der eidgenös-
sische Staatskanzler; auch blase er die Klarinette
gleich einer Nachtigall, daß man weinen müsse,
wenn man ihm zuhöre. Allein er sei ein ganz mise-
rabler Bursche, denn nichts gedeihe bei ihm, und
soviel Speck und Kartoffeln er auch verschlinge,
wenn er mit seinem Meister bei den Bauern auf
Kundschaft gehe, nichts helfe es, und er bleibe
mager, grün und bleich wie eine Rübe.

Einmal habe er die Idee ausgeheckt, zu heiraten,
da er nun doch dreißig Jahre alt sei. Weil aber
gerade ein Paar Strümpfe für ihn fertig geworden,
habe sie selbige unter den Arm genommen, auch
eine Wurst gekauft, und sei auf das Dorf hinaus
gerannt, um ihm die saubere Idee auszutreiben.
Bis er die Wurst fertiggegessen, habe er auch sich
endlich in sein Schicksal ergeben, und nachher habe er noch auf das schönste die Klarinette gebla-
sen. Er könne nähen wie der Teufel, so wie auch
sein Vater nicht auf den Kopf gefallen sei und die
besten Garnhäspel zu machen verstehe weit und
breit; allein es wäre einmal ein böses Blut in diesen
verteufelten Burschen, und daher müsse der junge
Säuberling im Zaume gehalten und mit dem Heiraten vorsichtig verfahren werden.

Sie lobte das Essen unaufhörlich und pries jeden Bissen mit den überschwenglichsten Worten, nur bedauernd, daß sie ihrem Galgenstrick nichts davon geben könne, obschon er es nicht verdiene. Dazwischen brachte sie die Geschichte von drei oder vier Meisterfamilien an, bei denen ihr Söhnchen gearbeitet, die unschuldigen Zerwürfnisse mit denselben und lustige Vorfälle, welche sich in den Dörfern ereignet, wo Meister und Geselle geschneidert hatten, so daß die Schicksale einer großen Menge unser Mahl würzten, ohne daß diese etwas davon ahnte. Nach dem Essen nahm die Frau, durch ein paar Gläser Wein lustig geworden, meine Flöte und suchte darauf zu blasen, gab sie dann mir und bat mich, einen Tanz aufzuspielen. Als ich dies tat, faßte sie ihre Sonntagsschürze und tanzte einmal zierlich durch die Stube herum; wir kamen aus dem Lachen nicht heraus und waren alle höchst zufrieden. Sie sagte, seit ihrer Hochzeit habe sie nicht mehr getanzt; es sei doch der schönste Tag ihres Lebens, wenn schon der Hochzeiter ein Lumpenhund gewesen; und am Ende müsse sie dankbar bekennen, daß der liebe Gott es immer gut mit ihr gemeint und für ihr Brot gesorgt, auch ihr noch jederzeit eine fröhliche Stunde gegönnt habe; so hätte sie noch gestern nicht gedacht, daß sie einen so vergnügten Weihnachtstag erleben würde. Dadurch wurden die beiden Frauen veranlaßt, ernsthaftere und zufriedene Betrachtungen anzustellen, indessen ich Gelegenheit fand, einen Blick in das Leben einer Witwe zu werfen, welche aus ihrem Sohne einen Mann machen möchte und hierzu nichts tun kann, als demselben Strümpfe stricken. Auch mußte ich gestehen, daß meine Lebensverhältnisse, welche mir oft arm und verlassen schienen, wahrhaftes Gold waren im Vergleich zu der dürftigen Verlassenheit und Getrenntheit, in welcher die Witwe und ihr armer magerer Sohn lebten.

SIMON CARMIGGELT

Ein Stockwerk höher

Mittags traf ich vor der Haustür das neue Ehepaar, das am Montag in die Wohnung über uns eingezogen war.

«Wollen Sie morgen abend nicht zu uns hinaufkommen, um mit uns Bekanntschaft zu machen?» sagte der Mann.

«Gerne», antwortete ich.

«Ihre Gattin kennen wir eigentlich schon aus Ihren Geschichtchen!» rief die Dame, und ihre Stimme erinnerte an rosa Toilettenpapier. Ich lachte mit, obgleich es völliger Unsinn war. Denn man sagt doch auch nicht zu Shakespeare: «Was höre ich, Ihr Herr Onkel hat Ihren Herrn Papa vergiftet?», nur weil es in Hamlet steht.

«Wir sind morgen eingeladen», sagte ich abends zu meiner Frau, aber sie legte den Finger auf die Lippen und flüsterte: «Pst. Sie haben Krach.»

Das paßte glänzend. Die Kinder waren bei einem Fest, von dem sie erst um zehn Uhr zurückerwartet wurden, und wir hatten nichts Dringendes zu tun. Sofort schoben wir also Bücher, Zeitungen, Teetassen und Stricknadeln zur Seite, setzten uns mucksmäuschenstill hin und spitzten die Ohren, denn zum Glück haben wir beide einen sehr schlechten Charakter.

«Rindvieh!» rief die Frau. «Geh doch zu deiner lieben Mutter, die mich beim Begräbnis deines feinen Onkels so grob beleidigt hat. Los, geh doch! Oder muß ich vielleicht erst die Tür vor deiner Melone aufmachen?»

«Rong rong», antwortete der Mann. «Rong rong rong rong rong.»

«Er ist nicht zu verstehen», sagte ich ärgerlich, als ob wir im Theater säßen.

«Und dein schöner Bruder mit seinem lila Schlips und seinen unsauberen Geschäften», schrie die Frau oben.

«Rong, rong», sagte der Mann. «Rong rang rilla.»

«So geht es nicht», flüsterte meine Frau. «Die

Hälfte entgeht einem. Wir wollen es im Flur versuchen.»

Wahrhaftig, es machte viel aus. Die Frau verstand man so, als stände sie neben einem, und der Mann sagte: «Du meinst wohl deinen braven Fritz mit seinem rong rang rill rong.»

Es war zweifellos ein Fortschritt.

«Wir müssen versuchen, höher zu kommen», sagte ich.

Zum Glück steht ein ansehnlicher Besenschrank in unserem Flur, auf den wir ohne allzu große Mühe kletterten. Das war besser.

«Und willst du etwa behaupten, daß er nicht zu dir gekommen ist, als ich in London war?» rief der Mann kristallklar.

«Siehst du wohl?» sagte ich triumphierend zu meiner Frau, die sich neben mir auf dem Schrank installiert hatte. Sie lächelte beglückt.

«Und was tut Herr Rindvieh in London?» erklang es von oben.

Noch eine Stunde lauschten wir gefesselt und vernahmen eine Fülle von Neuigkeiten, die ich aus Takt nicht wiedererzählen kann. Da es eine anstrengende Sitzung war, holte ich auch noch den Tee auf den Schrank und ein Kissen, denn meine Frau hatte sich lang ausgestreckt – sie fand es zu hart.

Gegen zehn Uhr trat Stille ein. Sie waren sicher müde.

«Komm, wir gehen wieder ins Zimmer», sagte meine Frau. «Es ist Schluß.»

Sie ließ sich zu Boden gleiten.

«Ich bleibe noch etwas», sagte ich und schob mir das Kissen unter den Kopf. «Man kann nie wissen . . .»

«Lieber nicht – die Kinder kommen gleich nach Hause», sagte sie. «Da schellen sie schon . . .»

Als sie aufmachte, stand der Herr von oben vor der Tür.

«Können Sie uns vielleicht eine Münze für den Gasautomaten leihen?»

Man konnte ihm überhaupt nicht ansehen, daß er gerade diesen Krach hinter sich hatte. Finster war sein Blick, als er mich unter der Decke erblickte, und er sagte: «Hallo.»

«Hallo», erwiderte ich.

«Liegen Sie auf dem Schrank?» fragte er.

«Ja, ja . . .», sagte ich.

«Warum denn?» fuhr er fort.

«Hier ist es angenehm warm», behauptete ich. «Wärme steigt immer nach oben.»

«Das stimmt», sagte er. «Aber ist es nicht unbequem?»

«Man gewöhnt sich daran», antwortete ich.

«Seltsame Angewohnheit», meinte er nachdenklich. «Darüber müßten Sie einmal ein Geschichtchen schreiben.» Aber das war schon geschehen.

LUDWIG THOMA

Die Eigentumsfanatiker

Kraglfing liegt zwischen Huglfing und Zeidlhaching. Wenn in Berlin oder in Wien ein großes
Ereignis geschieht, so erfährt es der Gouverneur in
Sydney um zwei Tage früher als der Bürgermeister
in Kraglfing, obwohl es diesen gerade so interessiert, denn er ist ein scharfer Politiker. Das macht:
Kraglfing liegt fünfthalbe Stund entfernt von der
nächsten Poststation, und wenn es recht stürmt
oder der Botenseppl den Reißmathias kriegt, dann
ist der diplomatische Verkehr aus und gar. So weit
ab von der Welt liegt das Dörfel, daß die Schulkinder im nächsten Bezirksamt alle miteinander wissen, wo Hongkong oder Peking liegt, aber keines
weiß, wo etwan Kraglfing auf der Landkarte zu
finden ist. Wenn nicht der Geschäftsreisende alle
halb Jahr einmal den Kramerlenz aufsuchen tät,
dann käm wohl nie ein fremdes Gesicht in das
Dorf. Denn als Luftkurort ist es noch nicht entdeckt, und ein Bad ist es vorläufig auch noch
nicht.

Da ist es schon eine rechte Freud und eine schöne Abwechslung in der abgeschiedenen Gegend,
wenn eine Gerichtskommission herauskommt.
Man kann sagen, was man will: Eine Predigt ist

und bleibt eine Predigt. Und je schärfer als sie ist, desto schöner ist sie; es läßt sich hernach beim Unterwirt ein vernünftiger Disputat darüber führen, besonders wenn einer den Pfarrer so gut nachahmen kann wie der Schlaunzentoni.

... Aber ein Prozeß! Das ist schon noch viel etwas Schöneres! Wenn so ein Advokat recht habisch ist und ein gutes Maulwerk hat, wenn er keinem Recht läßt, nicht einmal Gnaden dem Herrn Landrichter, und das Hinterste vorn und das Vorderste hint daher bringt, alle Wörter so schön setzt und lateinisch red't, daß man meint, es geht hellicht nicht anders, er *muß* recht kriegen, das ist schon feiner als wie ein Theater.

Und dann kommt der andere! Jetzt ist die ganze Geschicht verdreht, jetzt schaut es sich wieder anders an; alles ist nichts, was der andere gesagt hat, und hat er zwei lateinische Sprüchel aufsagen können, weiß *der* gleich drei, und grad spöttisch macht er sich über den andern, daß man's mit den Händen greifen kann, wie er unrecht gehabt hat – bis der andere wieder selber an die Reih kommt und sein Gesangl anfangt. So geht es hinum und herum, bis dem armen Bauernmenschen das Trumm aus- und der Prozeß im Kopf herumgeht wie ein Karussell, daß er nicht mehr weiß, hott oder wißt, gewinnt er jetzt oder verspielt er.

Darum also, wie gesagt, es geht nichts über einen Prozeß; und wenn es nicht gottlob sowieso alle Winter in Kraglfing einen geben tät, müßt der Unterwirt für seine Gäst ein übriges tun und einen anfangen. Für heuer ist schon gesorgt, denn der Ranftlmoser hat den Scheiblhuber eingeklagt. Der Ranftlmoser hat auf dem Guggenbichel einen Akker; gleich daneben hat der Scheiblhuber einen. Zwischen den zwei Äckern ist ein Rain, daß jeder beim Umpflügen wenden kann. Der Rain ist alle Jahre kleiner geworden; einmal pflügt der Ranftlmoser ein kleines Zipferl weg, das andere Mal der Scheiblhuber, so daß ein rechtschaffener Bauerntrittling schier keinen Platz mehr gehabt hat.

Da ist der Ranftlmoser herangegangen, hat in den Rain einen Pflock eingeschlagen und einen Ausspruch getan, daß der Scheiblhuber um keinen Zoll weiter mehr gegen ihn pflügen darf. Der Scheiblhuber meint, so mir nichts dir nichts laßt er sich kein «March» (Feldmarke) hinsetzen, reißt den Pflock heraus und pflügt justament mit Fleiß gleich wieder ein paar Zoll von dem Rain weg.

Jetzt geht es natürlich nicht mehr anders, jetzt *muß* advokatisch geklagt werden. Und wer das nicht glaubt, der soll nur nach Kraglfing gehen und bei den Bauern anfragen, ob nur ein einziger da ist, der es anders sagt. Also steht der Ranftlmoser an einem schönen Frühlingstag in der Früh um vier Uhr auf, legt das schöne Gewand an und marschiert mit seinen nagelneuen Glanzstiefeln in den taufrischen Morgen hinaus.

Die Sternlein stehen noch am Himmel, und der Mond schaut silbern über den Zeidlhachinger Forst herüber; die Vogerl aber, welche schon das Singen anheben, und ein feiner, roter Streifen im Osten deuten den nahen Morgen an. Der Ranftlmoser freilich sieht und hört von dem nichts, er ist in Gedanken versunken und knarzt mit seinen neuen Stiefeln tapfer fürbaß. Bloß am Guggenbichl steht er eine kleine Weile still und lacht so recht fein pfiffig. «Wart, Lump, dir reib ich's ein.»

Indem stoßt er auf einen mentisch großen Stein, und weil die Bründelwiesen vom Scheiblhuber gerade so schön bei der Hand liegt, schmeißt er ihn hinein. Dann geht er wieder weiter, einen Schritt vor den andern, stundenlang. Die Sonne ist schon heroben und steigt alleweil höher und höher. Bald links, bald rechts taucht ein Kirchturm auf, und der Morgenwind tragt die Glockentöne herüber, die zur Frühmesse einladen. Der Ranftlmoser achtet es nicht. In den Wiesen stehen die Bauernleut und rufen den Landsmann an. Der Ranftlmoser hat keine Zeit zum Antwortgeben. Nicht einmal zum Einkehren, wenn ihn auch der Oberwirt in Zeidlfing noch so schön einladet. Hilft nichts; unterwegs ißt er im Gehen das Stückel Brot, was ihm die Bäuerin mitgegeben hat; und so steht er richtig Schlag elf Uhr an der Kanzleitüre beim Herrn Advokaten.

«Ah, der Ranftlmoser! Freut mich, wieder einmal das Vergnügen zu haben! Was führt Sie so weit her?»

Und jetzt erzählt er sein Leid dem Herrn, der ihm freundlich zuhört. Was der Scheiblhuber überhaupts für ein schlechter Kerl ist, der niemals kein Ruh nicht gibt, und wie er es ihm schon so oft gemacht hat, wie er in seinen Grund hineinpflügt und wie er zu guter Letzt das March herausgerissen hat. Muß er sich das gefallen lassen? Und gibt es kein Recht gar nicht mehr? Das muß er wissen, da hat er einen festen Bestand darauf, und wenn es noch so viel kosten tät.

Der Advokat schüttelt bedächtig den Kopf und meint, es sei so eine Sache. Jedenfalls kommt es auf den Augenschein an – aber umsonst fahrt man nicht nach Kraglfing hinaus, so schön es auch dort ist. Zunächst gehört einmal ein Vorschuß her, so einhundert Mark, bis die Maschin im Gehen ist.

Hundert Mark? Die zahlt der Ranftlmoser gern. Er zieht aus irgendeiner Gegend seiner ledernen Umhüllung ein rotes Schneuztüchl und breitet es auf den Schreibtisch hin. Dann knöpfelt er bedächtig die Zipfel auf und zieht das untere Ende eines blauwollenen Strumpfes herfür. Vierunddreißig harte Taler zählt er auf, einen nach dem andern, und keiner reut ihn; die zwei Mark, welche er herauskriegt, steckt er in die Giletleibl-westentasche.

«Ranftlmoser», sagt der Advokat und klopft

ihm auf die Schulter, «Ranftlmoser, jetzt hat's was. Das gibt eine Klage auf Besitzstörung, wegen *turbatione possessionis*, wenn wir's nicht gleich gar mit dem *interdictum unde vi* anpacken.»

Da zieht's dem Ranftlmoser das Maul auseinander, daß ihm beinahe die Ohrwaschel hineinfallen vor lauter Vergnügen. «Ist nicht leicht scharf genug», meint er, «Herr Advikat, ist nicht leicht scharf genug für den Scheiblhuber. Reiben Sie's ihm nur recht lateinisch hin! Und jetzt adjes, Herr Dokta!»

Damit geht er, und eine solche Freude herrscht in seinem Herzen, daß die Leute auf der Straße es ihm über das Gesicht ansehen und ihm nachblikken. Das ist einmal ein fideler Bauer! Der hat gewiß ein gutes Geschäft gemacht! Beim Pschorrbräu überlegt sich's der Ranftlmoser, ob er nicht hineingehen und sich eine Maß kaufen soll. Aber – sparen muß der Mensch, denkt er, und geht daran vorbei. Er holt sich in einem Schweinmetzgerladen einen halben Kranz geselchte Würscht und geht wieder tapfer fürbaß auf Kraglfing zu. Unterwegs säbelt er die Geräucherten zusammen und hält verständige Zwiesprach mit sich selbst: Wie er vor das Gericht hinstehen wird, wie er den Scheiblhuber ärgern wird.

Auf den Abend um acht Uhr ist er wieder daheim, und wenn sich die Kraglfinger auf eine Physiognomie verstehen, dann haben sie merken können, daß es beim Ranftlmoser was hat. «Bäuerin», sagt der noch, als er steinmüd im Bett liegt, «Bäuerin, dem Scheiblhuber hab' ich was ins Wachsel gedruckt. Ich werd mir's übersinnen, ob ich die Geschicht am End gar noch kriminalisch mach'.»

Die mehreren Sachen haben zwei Seiten, und hinter sich schaut es oft anders aus als vorn. Umgekehrt ist auch gefahren, und zum Raufen gehören allemal zwei, einer, der hinhaut, und einer, der herhaut. Beim Prozessieren ist es geradeso, und darum wollen wir schauen, was etwa der Scheiblhuber zu der freundlichen Überraschung sagt. Er sitzt auf der Bank vor dem Haus, raucht ein Pfeifel und sinniert. Es fällt ihm ein, wie er den Bräumeister von Dachau voriges Jahr mit der Gersten geschlenkt (angeführt) hat, und den Veiteles in Aichach mit der Kuh, die gleich drei gesetzliche Fehler gehabt hat, und alle sind zu spät entdeckt worden. Da erhellt ein wohlwollendes Lächeln seine harten Züge, wie die Romanschreiber sagen, und heitere Zufriedenheit glänzt in seinen Augen.

Es ist ein recht friedsames Bild. Er schaut an dem Birnbaum hinauf und gibt acht, was der Starl für Spitzbubereien macht, wie er so schlau von dem Astl herunterschaut und dann einen recht lauten Pfiff tut, gerade als wollt er den Scheiblhuber erschrecken oder die Katz, die allweil zu ihm hinaufblinzelt. Indem biegt gerade der Briefbot beim Schmied um die Ecke herum; er wird schon wieder ein Schreiben an den Bürgermeister haben, eine amtliche Zustellung, denn die Privatbriefe besorgt der Botenseppl und tragt gewiß nicht schwer daran.

So ein Bürgermeister ist doch ein geplagter Mensch, denkt der Scheiblhuber; alle Augenblick wird er gefragt, wie und wo, und muß Red und Antwort stehen für andere Leut. Und wenn der hinterste Gütler oder Häusler mit Fleiß die Wappelmarken nicht aufpappt, blasen sie im Bezirksamt drin dem Bürgermeister einen Landler auf. Möcht keiner sein, der Scheiblhuber.

Aber was ist denn das? Der Briefbot reibt sich ja auf seinen Hof zu; wüßt nicht, warum.

«Grüß Gott, Bauer! Ich hab' eine Zustellung für dich.»

«War nit z'wider! Wirst doch schon irrig sein, Langlmaier, und den Bürgermeister meinen.»

Der Briefbot Langlmaier war aber nicht irrig; es ist kein anderer gemeint gewesen als der Scheiblhuber, der sich jetzt von der Bäuerin die Brillen bringen läßt und das Schreiben bedächtig öffnet.

«Klage des Advokaten Bierdimpfl namens Korbinian Ranftlmoser, Bauer in Kraglfing, gegen Kastulus Scheiblhuber, Bauer daselbst, wegen Besitzstörung.» –

Himmel Laudon –!

Ranftlmoser, wenn du jetzt über den Zaun

schauen könntest, was müßtest du für eine Freud haben! Krebsrot ist der Scheiblhuber vor Zorn, und nach jedem Satz, den er aus der Schrift zusammenbuchstabiert, tut er einen abscheulichen Ausspruch. So ist's recht. Jetzt weiß er, warum er das March herausgerissen hat; jetzt sieht er, daß der Scheiblhuber nicht bloß Kegel scheiben darf, und der Ranftlmoser müßt aufsetzen.

Endlich ist er am Schluß des Lesschreibens angelangt, wo es heißt: «Der Beklagte soll sämtliche Kosten des Rechtsstreites tragen.» Ja, halt auf ein bissel! So schnell geht das nicht beim Kastulus Scheiblhuber, Büchlbauer von Kraglfing!

Es gibt noch ein Gesetz im Land und Advokaten genug; eine Verhandlung muß her und ein Augenschein, und auf den Schwur muß der Ranftlmoser hingetrieben werden.

Richtig; am andern Morgen knarzen wieder ein Paar Glanzstiefel auf dem lehmigen Feldweg. Diesmal ist es der Scheiblhuber, der fuchsteufelswild mit dem Gehsteckerl links und rechts in die Grashalme hineinhaut und dabei eine Red' einstudiert für den Advokaten in München. Und um dieselbe Zeit, wann die Sonne am höchsten über Kraglfing steht, legt in der Stadt drin der Kanzleischreiber einen blauen Aktendeckel vor sich hin, schreibt fein säuberlich darauf: Ranftlmoser contra Scheiblhuber und wickelt einen langen Spagat darum. Er denkt wohl nicht daran, was er da alles eingebunden hat; wieviel Zorn, Verdruß und Kummer, wieviel sauer erspartes Geld! Und der Scheiblhuber denkt auf dem Heimwege gewiß auch daran zu allerletzt; jetzt ist es schon, wie es ist, und muß halt weitergehen. Und es geht auch weiter.

Während die zwei Kraglfinger draußen in der Glühhitz arbeiten den ganzen Sommer lang und froh sind um jedes Büschel Heu und Stroh, das sie gut heimbringen, werden in der Stadt so viele Bogen Papier verschrieben in Sachen Ranftlmoser contra Scheiblhuber, daß man damit den ganzen Guggenbichlacker zudecken könnt.

Die Akten werden von selber alleweil dicker, und wie im Herbst die Felder leergestanden sind, ist eine Gerichtskommission hinausgekommen. Die Leute von Huglfing, Kraglfing und Zeidlhaching haben sich eingefunden wie bei einem Wettrennen oder einer anderen Lustbarkeit. Jeder ist glücklich gewesen, der als Zeuge vernommen ist, denn nichts hat ein Bauer lieber, als wenn das aufgeschrieben wird, was er sagt. Die Herren setzen es so schön hochdeutsch, daß es sich justament ausnimmt wie etwas Gedrucktes und ganz Gescheites. Außerdem hat man Gelegenheit, die Herren vom Gericht und die Advokaten recht genau zu beobachten, was sie sagen und was sie dabei für eine Mien' aufsetzen. Zu guter Letzt leidet das Zeugengeld eine Maß beim Unterwirt, wo man jetzt beinahe jeden Tag zusammenkommt und seine Meinung abgibt.

Am Tage Kordula, dem 22. Oktober, ist dann das Urteil herausgekommen. Die Ranftlmoserin hat keine Freude gehabt über das Namenstagsgeschenk. Es hat in dem Schreiben freilich geheißen, daß der Scheiblhuber den alten Zustand herstellen muß, aber der Ranftlmoser auch; und weil jeder ein Teil Unrecht gehabt hat, muß jeder die Hälfte von den Kosten tragen. Aber trotzdem war sie froh, daß die Geschichte endlich vorüber war; vielleicht würden die Mannerleut' doch wieder gut miteinander; es ist ihr arg genug gewesen, daß sie so lang mit der Scheiblhuberin keinen Diskurs mehr hat führen dürfen. Und es ist auch nach und nach so gekommen; weil keiner den Prozeß ganz und gar verloren hat, hat jeder glauben können, daß er doch in der Hauptsach der Gewinner war; es laßt sich aus jeder Sach etwas Gutes herausfinden. Und zuletzt darf man nicht vergessen, daß die Reputation von jedem durch den Prozeß gewonnen hat.

Ein halbes Jahr hat er gedauert, die Advokaten haben schön geredet, und lateinisch ist schier mehr gespracht worden wie deutsch. Also Ranftlmoser, was willst noch mehr? Die Fretter im Dorf möchten auch diemal eine Gaudi haben; jetzt haben sie noch einmal soviel Respekt vor den zwei.

Bloß der Häusler Felberhofer hat einmal den

Scheiblhuber im Wirtshaus spöttisch gefragt, was denn der ganze Guggenbichlacker kostet, wenn drei Händ voll davon schon dreihundert Mark wert sind.

Der Habenichts! Das Tröpfel, das armselige!

Nachbars Magenfreude

«Mein liebes Kind», schrieb meine Großmutter, die eine wackere Gutsfrau und großzügige Nachbarin war, in das Kochbuch für den engsten Familienkreis, «mein liebes Kind, wenn du gar nichts im Hause hast und liebe Nachbarn dich plötzlich überfallen, so steige in den Keller, sieh dich unter den Resten um, nimm etwa zwei Pfund vom gestrigen Kalbsbraten, füge ein gebratenes Huhn dazu; auch ein Stück Roastbeef, das du sicher im Vorrat hast, ist recht. Dazu hole in der Räucherkammer eine Katenwurst und schneide im Vorbeigehen ein Pfund vom Schinken ab. Lasse das Fleisch von der Köchin würfeln, gib etwa sechs Zwiebeln, doch weder Salz noch Pfeffer hinzu; Schinken, Wurst und auch die Bratenreste sind ja bereits gewürzt. Gib alles in eine schwere Kasserolle, gieße einen Liter guten Rotwein daran, schließe den Topf (am besten legt die Köchin einen Streifen Brotteig um den Deckel) und lasse ihn an der Seite ungefähr zwei Stunden leise schmorgeln. Die Nachbarn können unterdessen die Ställe oder den Garten inspizieren. – Öffne schließlich den Topf, schon der Duft wird dir verraten, daß deine Hausfrauenehre gerettet ist... Ziehe die Brühe mit mehreren Löffeln von deinem dicksten Rahm ab, gib vielleicht eine Spur Majoran dazu und serviere mit frischem Salat und frischem Brot. Alle werden dich rühmen!»

Ganz so üppig pflegt es heute unter Nachbarn nicht mehr zuzugehen. Doch ich hatte nichts dagegen, daß mir meine Nachbarin – ich hatte den rechten Arm gebrochen – wieder und wieder Kleinigkeiten zur Tür hereinreichte. Zum Beispiel eine *Wildsuppe*. Dazu hatte sie Wildknochen mit kaltem Wasser aufgesetzt und langsam vor sich hinbrodeln lassen. Das Fleisch (für 4 Personen etwa ein Pfund) hatte sie zuvor vom Knochen gelöst, gewürfelt, leicht mehliert und in Speck und Zwiebeln (beide fein gewiegt) bräunen lassen. Sie löschte mit der durchgesiebten Knochenbrühe ab und kochte die Suppe mit einem Lorbeerblatt gut durch. Zum Schluß schmeckte sie mit Salz, einer Prise Zucker, mit Rotwein, wenig Essig, mit ein paar Tropfen Ingwersaft und etwas Tabasco-Sauce ab und verfeinerte den Geschmack durch ein paar Löffel Rahm. – Fast noch köstlicher war die *Gutsherrinnen-Suppe* (sie wurde zur Konfirmation der Tochter gekocht, ich bekam ein Schälchen zum

«Mitfeiern» davon). Die Zutaten waren opulent, allerdings ist das Rezept für 10 Personen berechnet! Man nimmt 1 Pfund Rindfleisch, 2 Pfund Kalbskeule, ½ Pfund rohen Schinken. Das Fleisch wird gewürfelt, ebenso ein paar Zwiebeln, eine Möhre, eine kleine Sellerieknolle und eine Stange Lauch. Alles wird in etwa 200 g Butter gebräunt und mit 4 l leichter Fleischbrühe (in die man noch ein Huhn versenken kann) langsam, langsam 3 bis 4 Stunden simmern gelassen. Die Brühe wird mit wenig braunem Schwitzmehl, das mindestens eine Viertelstunde mitkochen sollte, gebunden. Schließlich siebt man die Suppe durch und richtet sie sehr heiß über winzigen Fleischklößchen, die man inzwischen zubereitet hat, an. Zuvor noch mit einem Glas Weißwein oder etwas Madeira abschmecken.

Eine hübsche Überraschung waren auch die kleinen Tellergerichte, fix und fertig angerichtet, die mir meine Nachbarin über den Flur reichte. Einmal waren es *Hühnerbrüstchen mit französischer Zwiebelcreme*. Das Huhn war gekocht, das Fleisch abgelöst, in hübsche Portionen geschnitten; die Zwiebeln waren ebenfalls gekocht, püriert, mit Sahne und Salz abgeschmeckt, die Brüstchen auf dem dicklichen Püree angerichtet und mit wenig Tomate garniert. – Die Zwiebelcreme kann man auch durch eine *Creme à la Walterspiel* ersetzen, obwohl diese noch besser zu gekochter Räu-

cherzunge paßt. Ein gehäufter Eßlöffel fein ge-
hackter Zwiebeln wird mit Estragonessig einge-
kocht, so daß die Brühe vollständig verdampft.
Man löscht mit einer kleinen Tasse Kalbsfond ab,
gibt die gleiche Menge frisches Tomatenmus dazu,
weiter einen kleinen Löffel Dijon-Senf, ebensoviel
Johannisbeergelee und einen Teelöffel Chutney.
Man läßt alles gut durchkochen und schlägt mit
ein paar Butterflöckchen auf. – Dazu noch eine
pikante Meerrettichsauce, die sowohl zu Fisch als
zu Fleisch paßt. Fünf Eßlöffel Crème fraîche, einen Eßlöffel (angewärmtes) Johannisbeergelee, einen Teelöffel aufgelösten englischen Senf mit vier
Löffeln frisch geriebenem Meerrettich mischen,
mit Salz und Pfeffer abschmecken und kalt servie-
ren. – Doch weiter zu den Tellergerichten meiner
Nachbarin: Ausgezeichnet schmeckte mir der
Blumenkohl auf Rahm. Die in leicht gesalzener
Milch gegarten Röschen waren zierlich auf Salat-
blättern angerichtet. Dazu ein Achtel Sahne schla-
gen, darunter feingehackten Schinken, ein ebenso
gehacktes hartgekochtes Ei mischen, mit Salz, Zitrone, Pfeffer abschmecken, mit frischer Petersilie
garnieren.

Nur als Vorspeise war der *Matjesfilet-Cocktail*
gedacht. Die Filets, mehrere Scheiben Ananas, ein
säuerlicher Apfel waren in feine Scheiben geschnitten; süße und saure Sahne zu gleichen Teilen
verquirlt (unter Umständen mit Kefir gelängt und

leichter gemacht), mit Zwiebelpulver, wenig Salz, mit Zitrone und einer Spur Zucker abgeschmeckt und soviel Curry dazu, daß die Sauce eine hellgelbe Farbe annimmt. Kleine Perlzwiebeln und Walnußhälften (geschält) geben dem Cocktail den letzten Pfiff. Dazu Toast und ein leichter Mosel.

Um mich, nachdem mein Arm wieder aktionsfähig war, ein wenig zu revanchieren, holte ich mein französisches Rezeptbuch hervor und versuchte mich als erstes an einem *Clafoutis*. Man bereitet einen Teig aus 170 g Mehl, wenig Salz, drei gut gequirlten Eiern und Wasser. Er muß etwas dicker als ein Eierkuchenteig sein. Man parfümiert ihn mit einem Dessertlöffel Rum, Kognak oder Kirschwasser. Dann fügt man ein halbes Pfund reife Sauerkirschen dazu, schüttet das Ganze in eine gut gebutterte Form und bäckt die Masse im heißen Ofen eine knappe Stunde. Ist der Clafoutis gar, stürzt man den Auflauf, bestreut ihn mit Puderzucker und gibt ihn noch leicht warm zu Tisch. – Ausgezeichnet paßt dazu eine *Sabaion-Sauce*. In eine kleine Kasserolle gibt man sechs Eigelb, 1¼ Pfund Puderzucker und ungefähr ein Weinglas mit gemischten Likören, z. B. Kognak und Curaçao oder Kognak und Kümmel. Man erhitzt die Masse im Wasserbad unter ständigem Rühren bis auf 60 Grad; sie hat dann die Konsistenz dicklichen Rahms. – Mein Clafoutis war ein Erfolg, darum ließ ich ihm zum nächsten Sonntag einen *Holsteinischen Käsekuchen* folgen. Die Zutaten sind: ¼ Pfund Butter, 200 g Zucker, 4 Eier, Saft und abgeriebene Schale einer Zitrone, Vanille (eine Schote), 1 kg Magerquark, 1 Paket Vanillepudding, 2 gehäufte Eßlöffel Gries, ½ Päckchen Backpulver, dazu Rosinen und Korinthen. Die Butter wird mit dem Zucker schaumig gerührt, die Eier dazugegeben, ebenso die übrigen Zutaten. Die Form gut fetten, den Backofen auf 200 Grad vorheizen; die Masse etwa 1½ Stunden backen. Vorsichtig aus der Form nehmen, mit Puderzucker bestreuen, noch halbwarm zu Tisch geben. Dazu Schlagsahne und Bohnenkaffee.

Damit war erst einmal unser freundliches nachbarliches Hinüber und Herüber am Ende. Es war Sommer geworden, wir packten die Koffer und dampften in verschiedenster Richtung ab. Doch aufgeschoben ist nicht aufgehoben, wer weiß, wer sich als nächster den Arm bricht?

THEODOR FONTANE

Schwatz am Hinterfenster

Frau Dörr fuhr in ihrer Arbeit, dem Spargelste-
chen, fort und gab das Suchen erst auf, als auch die
schärfste Musterung der Beete keine «weißen
Köppe» mehr ergeben wollte. Nun erst hing sie
den Korb an ihren Arm, legte das Stechmesser
hinein und ging langsam und ein paar verirrte Kü-
ken vor sich hertreibend, erst auf den Mittelweg
des Gartens und dann auf den Hof und die Blu-
menestrade zu, wo Dörr seine Marktarbeit wie-
deraufgenommen hatte.

«Na, Suselchen», empfing er seine bessere Hälfte, «da bist du ja. Hast du woll gesehn? Bollmann
sein Köter war wieder da. Höre, der muß dran
glauben, un denn brat ich ihn aus; ein bißchen Fett
wird er ja woll haben, un Sultan kann denn die
Grieben kriegen ... Und Hundefett, höre, Susel ...» und er wollte sich augenscheinlich in eine
seit einiger Zeit von ihm bevorzugte Gichtbehand-
lungsmethode vertiefen. In diesem Augenblick
aber des Spargelkorbes am Arme seiner Frau ge-
wahr werdend, unterbrach er sich und sagte: «Na,
nu zeige mal her. Hats denn gefleckt?»

«I nu», sagte Frau Dörr und hielt ihm den kaum
halbgefüllten Korb hin, dessen Inhalt er kopf-

schüttelnd durch die Finger gleiten ließ. Denn es waren meist dünne Stangen und viel Bruch dazwischen.

«Höre, Susel, es bleibt dabei, du hast keine Spargelaugen.»

«O, ich habe schon. Man bloß hexen kann ich nich.»

«Na, wir wollen nich streiten, Susel; mehr wird es doch nich. Aber zum Verhungern is es.»

«I, es denkt nich dran. Laß doch das ewige Gerede, Dörr; sie stecken ja drin, un ob sie nu heute rauskommen oder morgen, is ja ganz egal. Eine tüchtige Husche, so wie die vor Pfingsten, und du sollst mal sehn. Und Regen gibt es. Die Wassertonne riecht schon wieder, un die große Kreuzspinn is in die Ecke gekrochen. Aber du willst jeden Dag alles haben; das kannst du nich verlangen.»

Dörr lachte. «Na, binde man alles gut zusammen. Und den kleinen Murks auch. Und du kannst ja denn auch was ablassen.»

«Ach, rede doch nicht so», unterbrach ihn die sich über seinen Geiz beständig ärgernde Frau, zog ihn aber, was er immer als Zärtlichkeit nahm, auch heute wieder am Ohrzipfel und ging auf das «Schloß» zu, wo sie sichs auf dem Steinfliesenflur bequem machen und die Spargelbündel binden wollte. Kaum aber, daß sie den hier immer bereitstehenden Schemel bis an die Schwelle vorgerückt hatte, so hörte sie, wie schräg gegenüber in dem von der Frau Nimptsch bewohnten dreifenstrigen Häuschen ein Hinterfenster mit einem kräftigen Ruck aufgestoßen und gleich darauf eingehakt wurde. Zugleich sah sie Lene, die mit einer weiten, lilagemusterten Jacke über dem Friesrock und einem Häubchen auf dem aschblonden Haar, freundlich zu ihr hinübergrüßte.

Frau Dörr erwiderte den Gruß mit gleicher Freundlichkeit und sagte dann: «Immer Fenster auf; das ist recht, Lenechen. Und fängt auch schon an, heiß zu werden. Es gibt heute noch was.»

«Ja. Und Mutter hat von der Hitze schon ihr Kopfweh, und da will ich doch lieber in der Hinterstube plätten. Is auch hübscher hier; vorne sieht man ja keinen Menschen.»

«Hast recht», antwortete die Dörr. «Na, da werd ich man ein bißchen ans Fenster rücken. Wenn man so spricht, geht einen alles besser von der Hand.»

«Ach, das is lieb und gut von Ihnen, Frau Dörr. Aber hier am Fenster is ja grade die pralle Sonne.»

«Schad't nichts, Lene. Da bring ich meinen Marchtschirm mit, altes Ding und lauter Flicken. Aber tut immer noch seine Schuldigkeit.»

Und ehe fünf Minuten um waren, hatte die gute Frau Dörr ihren Schemel bis an das Fenster geschleppt und saß nun unter ihrer Schirmstellage so behaglich und selbstbewußt, als ob es auf dem

Gendarmenmarkt gewesen wäre. Drinnen aber hatte Lene das Plättbrett auf zwei dicht ans Fenster gerückte Stühle gelegt und stand nun so nahe, daß man sich mit Leichtigkeit die Hand reichen konnte. Dabei ging das Plätteisen emsig hin und her. Und auch Frau Dörr war fleißig beim Aussuchen und Zusammenbinden, und wenn sie dann und wann von ihrer Arbeit aus ins Fenster hineinsah, sah sie, wie nach hinten zu der kleine Plättofen glühte, der für neue heiße Bolzen zu sorgen hatte.

«Du könntest mir mal 'nen Teller geben, Lene, Teller oder Schüssel.» Und als Lene gleich danach brachte, was Frau Dörr gewünscht hatte, tat diese den Bruchspargel hinein, den sie während des Sortierens in ihrer Schürze behalten hatte. «Da, Lene, das gibt 'ne Spargelsuppe. Un is so gut wie das andre. Denn daß es immer die Köppe sein müssen, is ja dummes Zeug. Ebenso wie mit'n Blumenkohl; immer Blume, Blume, die reine Einbildung. Der Strunk is eigentlich das Beste, da sitzt die Kraft drin. Und die Kraft is immer die Hauptsache.»

«Gott, Sie sind immer so gut, Frau Dörr. Aber was wird nur Ihr Alter sagen?»

«Der? Ach, Leneken, was der sagt, is ganz egal. Der red't doch. Er will immer, daß ich den Murks mit einbinde, wie wenns richtige Stangen wären; aber solche Betrügerei mag ich nich, auch wenn

Bruch- und Stückenzeug grade so gut schmeckt wie's Ganze. Was einer bezahlt, das muß er haben, un ich ärgere mir bloß, daß so'n Mensch, dem es so zuwächst, so'n alter Geizkragen is. Aber so sind die Gärtners alle, rapschen und rapschen un können nie genug kriegen.»

«Ja», lachte Lene, «geizig is er und ein bißchen wunderlich. – Aber eigentlich doch ein guter Mann.»

«Ja, Leneken, er wäre so weit ganz gut, un auch die Geizerei wäre nich so schlimm un is immer noch besser als die Verbringerei, wenn er man nich so zärtlich wäre. Du glaubst es nich, immer is er da. Un nu sieh ihn dir an. Es is doch eigentlich man ein Jammer mit ihm, un dabei richtige Sechsundfünzig, un vielleicht is es noch ein Jahr mehr. Denn lügen tut er auch, wenns ihm gerade paßt. Un da hilft auch nichts, gar nichts. Ich erzähl ihm immer von Schlag und Schlag und zeig ihm welche, die so humpeln und einen schiefen Mund haben, aber er lacht bloß immer und glaubt es nich. Es kommt aber doch so. Ja, Leneken, ich glaub es ganz gewiß, daß es so kommt. Und vielleicht balde. Na, verschrieben hat er mir alles, un so sag ich weiter nichts. Wie einer sich legt, so liegt er. Aber was reden wir von Schlag und Dörr, un daß er bloß O-Beine hat. Jott, mein Leneken, da gibt es ganz andere Leute, die sind so grade gewachsen wie 'ne Tanne. Nich wahr, Lene?»

Lene wurde hierbei noch röter, als sie schon war, und sagte: «Der Bolzen ist kalt geworden.» Und vom Plättbrett zurücktretend, ging sie bis an den eisernen Ofen und schüttete den Bolzen in die Kohlen zurück, um einen neuen herauszunehmen. Alles war das Werk eines Augenblicks. Und nun ließ sie mit einem geschickten Ruck den neuen glühenden Bolzen vom Feuerhaken in das Plätteisen niedergleiten, klappte das Türchen wieder ein und sah nun erst, daß Frau Dörr noch immer auf Antwort wartete. Sicherheitshalber aber stellte die gute Frau die Frage noch mal und setzte gleich hinzu: «Kommt er denn heute?»

«Ja. Wenigstens hat er es versprochen.»

«Nu sage mal, Lene», fuhr Frau Dörr fort, «wie kam es denn eigentlich? Mutter Nimptsch sagt nie was, un wenn sie was sagt, denn is es auch man immer soso, nich hüh un nich hott. Und immer bloß halb un so konfuse. Nu sage du mal. Is es denn wahr, daß es in Stralau war?»

«Ja, Frau Dörr, in Stralau war es, den zweiten Ostertag, aber schon so warm, als ob Pfingsten wär, und weil Lina Gansauge gern Kahn fahren wollte, nahmen wir einen Kahn, und Rudolf, der ein Bruder von Lina ist, setzte sich ans Steuer.»

«Jott, Rudolf. Rudolf is ja noch ein Junge.»

«Freilich. Aber er meinte, daß ers verstünde, und sagte bloß immer: ‹Mächens, ihr müßt stillsitzen; ihr schunkelt so›, denn er spricht so furchtbar

63

berlinsch. Aber wir dachten gar nicht dran, weil wir gleich sahen, daß es mit seiner ganzen Steuerei nicht weit her sei. Zuletzt aber vergaßen wirs wieder und ließen uns treiben und neckten uns mit denen, die vorbeikamen und uns mit Wasser bespritzten. Und in dem einen Boote, das mit unsrem dieselbe Richtung hatte, saßen ein paar sehr feine Herren, die beständig grüßten, und in unsrem Übermute grüßten wir wieder, und Lina wehte sogar mit dem Taschentuch und tat, als ob sie die Herren kenne, was aber gar nicht der Fall war, und wollte sich bloß zeigen, weil sie noch so sehr jung ist. Und während wir noch so lachten und scherzten und mit dem Ruder bloß so spielten, sahen wir mit einem Male, daß von Treptow her das Dampfschiff auf uns zukam, und wie Sie sich denken können, liebe Frau Dörr, waren wir auf den Tod erschrocken und riefen in unsrer Angst Rudolfen zu, daß er uns heraussteuern solle. Der Junge war aber aus Rand und Band und steuerte bloß so, daß wir uns beständig im Kreise drehten. Und nun schrien wir und wären sicherlich überfahren worden, wenn nicht in eben diesem Augenblicke das andre Boot mit den zwei Herren sich unsrer Not erbarmt hätte. Mit ein paar Schlägen war es neben uns, und während der eine mit einem Bootshaken uns fest und scharf heranzog und an das eigne Boot ankoppelte, ruderte der andre sich und uns aus dem Strudel heraus, und nur einmal war es noch, als ob die große, vom Dampfschiff her auf uns zukommende Welle uns umwerfen wolle. Der Kapitän drohte denn auch wirklich mit dem Finger (ich sah es inmitten all meiner Angst); aber auch das ging vorüber, und eine Minute später waren wir bis an Stralau heran, und die beiden Herren, denen wir unsere Rettung verdankten, sprangen ans Ufer und reichten uns die Hand und waren uns als richtige Kavaliere beim Aussteigen behilflich. Und da standen wir denn nun auf der Landungsbrücke bei Tübbeckes und waren sehr verlegen, und Lina weinte jämmerlich vor sich hin, und bloß Rudolf, der überhaupt ein störrischer und großmäuliger Bengel is und immer gegen's Militär, bloß Rudolf sah ganz bockig vor sich hin, als ob er sagen wollte: ‹Dummes Zeug, ich hätt euch auch rausgesteuert.› »

«Ja, so is er, ein großmäuliger Bengel; ich kenn ihn. Aber nu die beiden Herren. Das ist doch die Hauptsache . . .»

«Nun, die bemühten sich erst noch um uns und blieben dann an dem andren Tisch und sahen immer zu uns rüber. Und als wir so gegen sieben, und es schummerte schon, nach Hause wollten, kam er eine und fragte, ob er und sein Kamerad uns ihre Begleitung anbieten dürften? Und da lacht ich übermütig und sagte, sie hätten uns ja gerettet, und einem Retter dürfe man nichts abschlagen. Übrigens sollten sie sichs noch mal überlegen, denn wir wohnten so gut wie am andern Ende der Welt. Und sei eigentlich eine Reise. Worauf er verbindlich antwortete: ‹Desto besser.› Und mittlerweile war auch der andre herangekommen... Ach, liebe Frau Dörr, es mag wohl nicht recht gewesen sein, gleich so freiweg zu sprechen; aber der eine gefiel mir, und sich zieren und zimperlich tun, das hab ich nie gekonnt. Und so gingen wir denn den weiten Weg, erst an der Spree und dann an dem Kanal hin.»

«Und Rudolf!»

«Der ging hinterher, als ob er gar nicht zugehöre, sah aber alles und paßte gut auf. Was auch recht war; denn die Lina is ja erst achtzehn un noch ein gutes, unschuldiges Kind!»

«Meinst du?»

«Gewiß, Frau Dörr. Sie brauchen sie ja bloß anzusehn. So was sieht man gleich.»

«Ja, mehrstens. Aber mitunter auch nich. Und da haben sie euch denn nach Hause gebracht?»

«Ja, Frau Dörr.»

«Und nachher?»

«Ja, nachher. Nun, Sie wissen ja, wie's nachher kam. Er kam dann den andern Tag und fragte nach. Und seitdem ist er oft gekommen, und ich freue mich immer, wenn er kommt. Gott, man freut sich doch, wenn man mal was erlebt. Es ist oft so einsam hier draußen. Und Sie wissen ja, Frau Dörr, Mutter hat nichts dagegen und sagt immer: ‹Kind, es schad't nichts. Eh man sichs versieht, is man alt.› »

«Ja, ja», sagte die Dörr, «so was hab ich die Nimptschen auch schon sagen hören. Und hat auch ganz recht. Das heißt, wie mans nehmen will, und nach'm Katechismus is doch eigentlich immer noch besser und sozusagen überhaupt das beste. Das kannst du mir schon glauben. Aber ich weiß woll, es geht nich immer, und mancher will auch nich. Und wenn einer nich will, na, denn will er nich, un denn muß es auch so gehn und geht auch mehrstens, man bloß, daß man ehrlich is un anständig und Wort hält. Un natürlich, was denn kommt, das muß man aushalten un darf sich nicht wundern. Un wenn man all so was weiß und sich immer wieder zu Gemüte führt, na, denn is es nich so schlimm. Un schlimm is eigentlich man bloß das Einbilden.»

«Ach, liebe Frau Dörr», lachte Lene, «was Sie nur denken. Einbilden! Ich bilde mir gar nichts ein. Wenn ich einen liebe, dann lieb ich ihn. Und das is mir genug. Und will weiter gar nichts von ihm, nichts, gar nichts; und daß mir mein Herze so schlägt und ich die Stunden zähle, bis er kommt, und nicht abwarten kann, bis er wieder da ist, das macht mich glücklich, das ist mir genug.»

«Ja», schmunzelte die Dörr vor sich hin, «das is das richtige, so muß es sein. Aber is es denn wahr, Lene, daß er Botho heißt? So kann doch einer eigentlich nich heißen; das is ja gar kein christlicher Name.»

«Doch, Frau Dörr.» Und Lene machte Miene, die Tatsache, daß es solchen Namen gäbe, des weiteren zu bestätigen. Aber ehe sie dazu kommen konnte, schlug Sultan an, und im selben Augenblicke hörte man deutlich vom Hausflur her, daß wer eingetreten sei. Wirklich erschien auch der Briefträger und brachte zwei Bestellkarten für Dörr und einen Brief für Lene.

«Gott, Hahnke», rief die Dörr dem in großen Schweißperlen vor ihr Stehenden zu, «Sie drippen ja man so. Is es denn so'ne schwebende Hitze? Un erst halb zehn. Na, soviel seh ich woll, Briefträger is auch kein Vergnügen.»

Und die gute Frau wollte gehn, um ein Glas Milch zu holen. Aber Hahnke dankte. «Habe keine Zeit. Ein andermal.» Und damit ging er.

Lene hatte mittlerweile den Brief erbrochen.

«Na, was schreibt er?»

«Er kommt heute nicht, aber morgen. Ach, es ist so lange bis morgen. Ein Glück, daß ich Arbeit habe; je mehr Arbeit, desto besser. Und ich werde heut nachmittag in Ihren Garten kommen und graben helfen. – Aber Dörr darf nicht dabei sein.»

«I, Gott bewahre.»

Und danach trennte man sich, und Lene ging in das Vorderzimmer, um der Alten das von der Frau Dörr erhaltene Spargelgericht zu bringen.

WILHELM SCHARRELMANN

Der Bauer und die Magd

Vor Jahren hat im einsamsten Teufelsmoor einmal
ein armer Torfbauer gewohnt, der hat sieben le-
bendige Kinder gehabt, eins immer noch kleiner
und unbedarwter als das andere, und da er dabei
seit Jahr und Tag Witwer gewesen ist, hat er allen
sieben zugleich Vater und Mutter sein müssen.
Weil aber ein Mensch nicht alles kann, hätte er
trotz seiner Armut gern wieder eine Frau genommen, hat auch oft genug nach links und rechts
gesehen, um eine zu finden, die er hätte fragen
können. Aber da ist nicht eine gewesen, von der er
hätte annehmen können, daß sie willens gewesen
wäre, seine Kinder zu versorgen und zu ihm in
seine ärmliche Kate zu ziehen, und eine Magd ins
Haus zu nehmen, wäre ihm ewig zu teuer gewesen.

Nun hat eine halbe Wegstunde weit von seinem
Hause ein Mädchen gedient, sanft und gut, die er
um sein Leben gern zur Frau gehabt hätte. Er hat
sie aber nicht fragen mögen und sich nicht einmal
getraut, ernstlich an sie zu denken. Denn wenn sie
auch nicht besonders schön von Angesicht und
nur eine arme Magd gewesen ist, hat er doch gemeint, daß sie ihn auslachen und stehenlassen wer-

de, wenn er jemals hätte so verwegen sein sollen, sie zu fragen.

Als er nun in den Tagen vor Weihnachten mit seinem letzten Schiff voll Torf zur Stadt gefahren ist, um seinen Kindern zu den Festtagen wenigstens satt Brot auf den Tisch legen zu können, hat das älteste seiner Kinder, ein Mädchen von gut neun Jahren, nachdem es seine Geschwister hungrig zu Bett gebracht und auf den Morgen vertröstet hat, sein Umschlagtüchlein genommen und ist zum Hause und ins Moor hinausgewandert, ob es nicht irgendeine Hilfe fände und eine mitleidige Seele ihm ein Brot für seine Geschwister schenken werde. Wenn es dabei auch keine Furcht gekannt hat und der Weg ihm trotz der Dunkelheit zuerst vertraut genug gewesen ist, hat es sich zuletzt doch verirrt und nicht mehr gewußt, wohin es sich hat wenden sollen. Als es nun stehenbleibt und nicht weiß, was es tun soll, um sich wieder zurechtzufinden, sieht es auf dem Schiffgraben, an den es gelangt ist, ein Torfboot näherkommen, kann aber, vor dem Lichtschein der Laterne darin, nicht recht erkennen, wer es ist, der es fährt, meint, daß es sein Vater ist, der unerwartet früh von der Stadt zurückkommt, und läuft ihm in Freude entgegen. Als es aber näherkommt, erkennt es, daß es ein Fremder ist, der da schweigend und groß auf es zutreibt, erschrickt und will schnell in das Dunkel zurück. Der Fremde aber ruft die Kleine, so eigen in Wort und Stimme, daß sie sich nicht zu rühren wagt, steigt zugleich aus, leuchtet ihr mit seiner Laterne ins Gesicht und fragt sie, ob sie nicht die kleine Anne Tölken ist aus der Kate drüben am Stau?

«Ja», antwortet sie, das ist sie, und ist nicht wenig froh, daß der Fremde sie kennt und darum aus der Gegend sein muß, und wird nach wenigen Worten so vertraut, daß sie alle Furcht vergißt, auf seine Fragen ganz offen antwortet und ihm erzählt, daß sie ihre kleinen Geschwister heute ungegessen habe schlafenlegen müssen, auch wie sauer es ihr Vater habe, seine sieben mutterlosen Kinder großzukriegen.

«Hm», brummt der Fremde da und pliert über sie hinweg ins Dunkle, als müsse er über etwas nachdenken.

«Komm», sagt er dann. «Wir wollen einmal fragen gehen, ob nicht in den Häusern drüben jemand schon zum Feste gebacken hat», nimmt die Kleine an die Hand, geht mit ihr zu der nächsten Warf hinauf – dort hat alles schon in tiefem Schlaf gelegen –, klopft an das Fenster, hinter dem die Magd schläft, und ruft:

«Margret, wullt du nich upstahn?
Söben lütte Kinner willt ünnergahn!»

Sogleich antwortet es aus der Kammer:

«Söben lütte Kinner sind mi to veel,
Söben lütte Kinner kriegt sacht ehr Deel!»

Da geht der Fremde mit der Kleinen zum nächsten Hause, klopft auch hier wieder ans Fenster und ruft:

«Aleid, wullt du nich upstahn?
Söben lütte Kinner willt ünnergahn!»

bekommt aber dieselbe Antwort wie das erstemal:

«Söben lütte Kinner sind mi to veel,
Söben lütte Kinner kriegt sacht ehr Deel!»

Also müssen sie wieder weiter, und der Fremde geht mit der Kleinen zum dritten Hause.

«Marie, wullt du nich upstahn?
Söben lütte Kinner willt ünnergahn!»

Da hören sie, daß jemand drinnen ans Fenster kommt und herausruft:

«Ünnergahn, dat schüllt se nich,
Leet se ok alle Welt in Stich!»

Als der Fremde mit der Kleinen nun vor die Tür tritt, kommt die Gerufene auch schon aus dem Hause, und wenn sie auch noch verwirrt ist von Traum und Nacht und nicht weiß, was sie tun soll, hat sie doch im Vorbeigehen ein Rosinenbrot, wie es zu der Zeit zu Weihnachten in den Häusern gebacken wurde, mit herausgebracht, als müsse das so sein, und reicht es dem Kinde. Als aber dabei der Kleinen der Schein der Laterne ins Gesicht fällt und sie erkennt, daß es niemand anders als die kleine Anna Tölken ist aus dem Hause am Stau, wird sie rot und blaß, will das Kind mit einem Worte trösten und nach Hause schicken und sagt:

«Büst du dat, lütt Anna? Gah hen man, min Kind,
So hell schient de Maond, un sies geiht de Wind!»

Denn sie ist es gewesen, die der Vater der Kleinen am liebsten zur Frau genommen hätte, und wenn ihr auch niemand jemals ein Wort darüber gesagt hat, hat sie es doch im stillen gewußt und ihm an den Augen abgesehen.

Der Fremde dagegen ist in demselben Augenblick verschwunden, so daß sie mit der Kleinen allein unter dem sternflimmernden Nachthimmel steht und das Kind nun doch im Ernst nicht hat allein gehen lassen mögen. Als sie aber mit ihm geht und vor das Haus der Kleinen kommt, ist der Bauer gerade aus der Stadt zurückgekommen und will schon davon, um seine Älteste zu suchen. Wie nun der Schein des Feuers vom Herde durch die offene Tür auf die beiden fällt, die ihm entgegenkommen, erschrickt er, wie vorhin die Magd, weiß nicht, was er tun und sagen soll und stottert:

«Bliw buten, Marie, bliw buten, min Deern –
Söben lütte Kinner, wer pleegt de woll geern?»

Da antwortet ihm die Magd, und ihr ist, als könnte sie nicht ein einziges Wort anders sagen:

«Din Kinner, Jan Tölken, up Hei un up Stroh – Stund nich ok de Krippen in Bethlehem so?»

und geht an ihm vorbei mit der Kleinen ins Haus, als gehöre sie dahin.

Da ist über den Bauern eine so große Freude gekommen, daß er mit der Mütze in der Hand hinter ihr ins Haus gegangen ist, als schritte ein Wesen aus einer anderen Welt vor ihm auf. Über ein Jahr aber ist die Magd seine Frau geworden und seinen Kindern eine Mutter, wie er sie treuer nicht hätte finden können.

Von Tür zu Tür

«Ach wissen Sie», erklärt Frau Maier ihrer Nachbarin, «mein Mann ist nämlich Spiritist.»

«So», erwidert Frau Müller gedehnt, «das dürfen Sie aber nicht dulden. Ich habe dem Meinigen das Saufen ganz schnell abgewöhnt.»

«He, Sie, Frau Nachbarin», ruft der neue Nachbar über den Zaun.

«Ja, wo brennt's denn?»

«Hören Sie, das halt ich nicht aus! Ihr Hund heult ja die ganze Nacht.»

«Aber den Tag über schläft er doch . . .»

«Die Maiers sind arme Leute», meint der kleine Fritz.

«Wieso denn?» fragt ihn die Mutter verwundert. «Das hab ich noch gar nicht gemerkt.»

«Doch, die sind arm. Heut hab ich Maiers Kurtchen einen Groschen schlucken lassen, und jetzt rennen die wie verrückt umeinander und wollen durchaus den Groschen wieder raushaben.»

Zwei Freunde treffen sich nach langer Zeit wieder.

«Meine Frau hat mir erzählt, ihr habt den Streit mit euern Nachbarn begraben . . .»

«Nicht den Streit . . . die Nachbarn.»

Ein Nachbar lädt den andern zur Jagd ein. – Der eine drückt ab, und mit einem Aufschrei fällt des andern Eheweib tot zu Boden.

«O Verzeihung, Herr Doktor», sagt bestürzt der Schütze. «Aber bitte, da drüben steht meine Frau . . . Wenn Sie sich revanchieren wollen!»

Der Huberbauer geht in die Kirche. Er gelobt eine Kerze, falls es ihm gelingt, den sauern Acker der Baugenossenschaft aufzuhängen.

Vor ihm kniet seine Nachbarin, die alte Babett. Er hört, wie sie seufzend den lieben Herrgott bittet, sie im Wald Beeren finden zu lassen ...

Der Huberbauer ist irritiert. Ungeduldig räuspert er sich, doch die Babett läßt sich nicht stören. Sie ist so schön im Bitten. Jetzt fleht sie um eine Hose fürs Peterle.

Da greift der Huberbauer in die Tasche, holt den Geldbeutel hervor und steckt der Babett fünf Mark in die Schürze: «Nu mach aber, daß de fortkummst, du lenkst mir den Herrgott zu sehr ab!»

«Wußten Sie schon», fragt Frau Lindauer ihre Nachbarin, «daß der Dachdecker Huber von einem Auto überfahren worden ist?»

«Mein Gott, diese verfluchten Autos», ruft die Nachbarin, «noch nicht mal auf dem Dach ist man sicher!»

Zwei Nachbarn sprechen über ihre Sprößlinge. «Wenn Ihr Sohn mit der Universität fertig ist», fragt der eine, «was ist er dann eigentlich?»

«Ein alter Mann, fürchte ich», erwidert der andere Vater lakonisch.

Ein Pfarrer hatte in dem kleinen Gebirgsdorf schon lange Jahre den Dienst versehen. Er findet, es wäre an der Zeit, einem Jüngern die Arbeit zu überlassen. Aber bevor er etwas unternahm, sprach er mit seinem Nachbarn, der zugleich Kirchenältester war. «Wissen Sie, Großvater Schmidt, neue Besen kehren schließlich besser!»

Der Alte nickt bedächtig. Schließlich meint er: «Das stimmt schon, Herr Paster, aber der alte Besen weiß besser, wo der Dreck steckt.»

Im Nachbarhaus ist ein berühmter Astronom eingezogen. Höflich macht er nebenan Besuch.

«Oh, Herr Professor, wie schön, daß ich Sie kennenlerne, ich wollte schon immer wissen, wie weit der Himmel von der Erde entfernt ist.»

«Das kann ich Ihnen sagen», erklärt schmunzelnd der gelehrte Mann. «Ein gefallener Engel braucht neun Monate, um niederzukommen . . .»

Die Familien Doof, Keiner und Niemand wohnen übereinander. Die Doofs unten, die Niemands in der Mitte, Keiners oben. Eines Tags setzt sich Herr Doof auf seine Terrasse. In dem Augenblick fällt Herrn Niemand ein Blumentopf aus der Hand und Herrn Doof direkt auf den Kopf. Herr Keiner hat es gesehen. – Doof verständigt sofort die Polizei: «Niemand hat mir einen Blumentopf auf den Kopf geschmissen. Keiner hat's gesehen.»

Der Polizist am Telefon: «Sind Sie doof?»

«Ja – selbst am Apparat.»

Frau Lehmann hat einen Untermieter. Er kommt aus Sachsen. Eines Abends erscheint er in der Küche und bittet um ein Gläschen Wasser. Er bedankt sich und entschwindet. Doch nach zwei Minuten ist er wieder da. «Ich muß Sie noch mal belästigen, Frau Lehmann, aber gennde ich vielleicht 'n Deppchen Wasser kriechen?» – Frau Lehmann wundert sich, gibt ihm aber den Topf Wasser. Es vergehen kaum zwei Minuten, und der Sachse steht wieder in der Küche. «Och Godd, Frau Lehmann», sagt er, «es ist mir ja so beinlich, awer dirfte ich Se nochemal um'n Eimerchen Wasser bidden?» – Frau Lehmann ist nun doch neugierig: «Wozu brauchen Sie eigentlich das viele Wasser? Zum Waschen? Oder haben Sie derart Durst?» – «Nee», erwidert der Sachse kleinlaut, «Mei Bedde brennd . . .»

An einem bitterkalten Wintermorgen fuhr der Hinterhuber zur Stadt und sah, daß sein Nachbar im Nachthemd Holz hackte.

«Warum hackst du denn schon in aller Herrgottsfrühe Holz?» rief der Hinterhuber dem alten Bauern zu.

«Ich hatte kein Scheit mehr zum Feueranmachen.»

«Du hättst aber erst was anziehen sollen.»

«Nein», rief der Nachbar zurück, «ich zieh mich immer erst an, wenn die Stube warm ist. Ich erkält mich so leicht.»

JOHANN WOLFGANG VON GOETHE

Die wunderlichen Nachbarskinder

Zwei Nachbarskinder von bedeutenden Häusern,
Knabe und Mädchen, in verhältnismäßigem Alter,
um dereinst Gatten zu werden, ließ man in dieser
angenehmen Aussicht miteinander aufwachsen,
und die beiderseitigen Eltern freuten sich einer
künftigen Verbindung. Doch man bemerkte gar
bald, daß die Absicht zu mißlingen schien, indem
sich zwischen den beiden trefflichen Naturen ein
sonderbarer Widerwille hervortat. Vielleicht waren sie einander zu ähnlich. Beide in sich selbst
gewendet, deutlich in ihrem Wollen, fest in ihren
Vorsätzen; jedes einzeln geliebt und geehrt von
seinen Gespielen; immer Widersacher, wenn sie
zusammen waren, immer aufbauend für sich allein, immer wechselweise zerstörend, wo sie sich
begegneten, nicht wetteifernd nach einem Ziel,
aber immer kämpfend um einen Zweck; gutartig
durchaus und liebenswürdig und nur hassend, ja
bösartig, indem sie sich aufeinander bezogen.

Dieses wunderliche Verhältnis zeigte sich schon
bei kindischen Spielen, es zeigte sich bei zuneh-
menden Jahren. Und wie die Knaben Krieg zu
spielen, sich in Parteien zu sondern, einander
Schlachten zu liefern pflegen, so stellte sich das

trotzig mutige Mädchen einst an die Spitze des einen Heers und focht gegen das andre mit solcher Gewalt und Erbitterung, daß dieses schimpflich wäre in die Flucht geschlagen worden, wenn ihr einzelner Widersacher sich nicht sehr brav gehalten und seine Gegnerin doch noch zuletzt entwaffnet und gefangengenommen hätte. Aber auch da noch wehrte sie sich so gewaltsam, daß er, um seine Augen zu erhalten und die Feindin doch nicht zu beschädigen, sein seidenes Halstuch abreißen und ihr die Hände damit auf den Rücken binden mußte.

Dies verzieh sie ihm nie, ja sie machte so heimliche Anstalten und Versuche, ihn zu beschädigen, daß die Eltern, die auf diese seltsamen Leidenschaften schon längst achtgehabt, sich miteinander verständigten und beschlossen, die beiden feindlichen Wesen zu trennen und jene lieblichen Hoffnungen aufzugeben.

Der Knabe tat sich in seinen neuen Verhältnissen bald hervor. Jede Art von Unterricht schlug bei ihm an. Gönner und eigene Neigung bestimmten ihn zum Soldatenstande. Überall, wo er sich fand, war er geliebt und geehrt. Seine tüchtige Natur schien nur zum Wohlsein, zum Behagen anderer zu wirken, und er war in sich, ohne deutliches Bewußtsein, recht glücklich, den einzigen Widersacher verloren zu haben, den die Natur ihm zugedacht hatte.

Das Mädchen dagegen trat auf einmal in einen veränderten Zustand. Ihre Jahre, eine zunehmende Bildung und mehr noch ein gewisses inneres Gefühl zogen sie von den heftigen Spielen hinweg, die sie bisher in Gesellschaft der Knaben auszuüben pflegte. Im ganzen schien ihr etwas zu fehlen, nichts war um sie herum, das wert gewesen wäre, ihren Haß zu erregen. Liebenswürdig hatte sie noch niemanden gefunden.

Ein junger Mann, älter als ihr ehemaliger nachbarlicher Widersacher, von Stand, Vermögen und Bedeutung, beliebt in der Gesellschaft, gesucht von Frauen, wendete ihr seine ganze Neigung zu. Es war das erstemal, daß sich ein Freund, ein Liebhaber, ein Diener um sie bemühte. Der Vorzug, den er ihr vor vielen gab, die älter, gebildeter, glänzender und anspruchsreicher waren als sie, tat ihr wohl. Seine fortgesetzte Aufmerksamkeit, ohne daß er zudringlich gewesen wäre, sein treuer Beistand bei verschiedenen unangenehmen Zufällen, sein gegen ihre Eltern zwar ausgesprochnes, doch ruhiges und nur hoffnungsvolles Werben, da sie freilich noch sehr jung war: das alles nahm sie für ihn ein, wozu die Gewohnheit, die äußern, nun von der Welt als bekannt angenommenen Verhältnisse das Ihrige beitrugen. Sie war so oft Braut genannt worden, daß sie sich endlich selbst dafür hielt, und weder sie noch irgend jemand dachte daran, daß noch eine Prüfung nötig sei, als sie den

Ring mit demjenigen wechselte, der so lange Zeit für ihren Bräutigam galt.

Der ruhige Gang, den die ganze Sache genommen hatte, war auch durch das Verlöbnis nicht beschleunigt worden. Man ließ eben von beiden Seiten alles so fortgewähren, man freute sich des Zusammenlebens und wollte die gute Jahreszeit durchaus noch als einen Frühling des künftigen ernsteren Lebens genießen.

Indessen hatte der Entfernte sich zum schönsten ausgebildet, eine verdiente Stufe seiner Lebensbestimmung erstiegen und kam mit Urlaub, die Seinigen zu besuchen. Auf eine ganz natürliche, aber doch sonderbare Weise stand er seiner schönen Nachbarin abermals entgegen. Sie hatte in der letzten Zeit nur freundliche, bräutliche Familienempfindungen bei sich genährt, sie war mit allem, was sie umgab, in Übereinstimmung; sie glaubte glücklich zu sein und war es auch auf gewisse Weise. Aber nun stand ihr zum erstenmal seit langer Zeit wieder etwas entgegen: es war nicht hassenswert; sie war des Hasses unfähig geworden, ja der kindische Haß, der eigentlich nur ein dunkles Anerkennen des inneren Wertes gewesen, äußerte sich nun in frohem Erstaunen, erfreulichem Betrachten, gefälligem Eingestehen, halb willigem, halb unwilligem und doch notwendigem Annahen, und das alles war wechselseitig. Eine lange Entfernung gab zu längeren Unterhaltungen

Anlaß. Selbst jene kindische Unvernunft diente den Aufgeklärteren zu scherzhafter Erinnerung, und es war, als wenn man sich jenen neckischen Haß wenigstens durch eine freundschaftliche, aufmerksame Behandlung vergüten müsse, als wenn jenes gewaltsame Verkennen nunmehr nicht ohne ein ausgesprochnes Anerkennen bleiben dürfe.

Von seiner Seite blieb alles in einem verständigen, wünschenswerten Maß. Sein Stand, seine Verhältnisse, sein Streben, sein Ehrgeiz beschäftigten ihn so reichlich, daß er die Freundlichkeit der schönen Braut als eine dankenswerte Zugabe mit Behaglichkeit aufnahm, ohne sie deshalb in irgendeinem Bezug auf sich zu betrachten oder sie ihrem Bräutigam zu mißgönnen, mit dem er übrigens in den besten Verhältnissen stand.

Bei ihr hingegen sah es ganz anders aus. Sie schien sich wie aus einem Traum erwacht. Der Kampf gegen ihren jungen Nachbar war die erste Leidenschaft gewesen, und dieser heftige Kampf war doch nur, unter der Form des Widerstrebens, eine heftige, gleichsam angeborne Neigung. Auch kam es ihr in der Erinnerung nicht anders vor, als daß sie ihn immer geliebt habe. Sie lächelte über jenes feindliche Suchen mit den Waffen in der Hand; sie wollte sich des angenehmsten Gefühls erinnern, als er sie entwaffnete; sie bildete sich ein, die größte Seligkeit empfunden zu haben, da er sie band, und alles, was sie zu seinem Schaden und

Verdruß unternommen hatte, kam ihr nur als unschuldiges Mittel vor, seine Aufmerksamkeit auf sich zu ziehen. Sie verwünschte jene Trennung, sie bejammerte den Schlaf, in den sie verfallen, sie verfluchte die schleppende, träumerische Gewohnheit, durch die ihr ein so unbedeutender Bräutigam hatte werden können; sie war verwandelt, doppelt verwandelt, vorwärts und rückwärts, wie man es nehmen will.

Hätte jemand ihre Empfindungen, die sie ganz geheimhielt, entwickeln und mit ihr teilen können, so würde er sie nicht gescholten haben; denn freilich konnte der Bräutigam die Vergleichung mit dem Nachbar nicht aushalten, sobald man sie nebeneinander sah. Wenn man dem einen ein gewisses Zutrauen nicht versagen konnte, so erregte der andere das vollste Vertrauen; wenn man den einen gern zur Gesellschaft mochte, so wünschte man sich den andern zum Gefährten; und dachte man gar an höhere Teilnahme, an außerordentliche Fälle, so hätte man wohl an dem einen gezweifelt, wenn einem der andere vollkommene Gewißheit gab. Für solche Verhältnisse ist den Weibern ein besonderer Takt angeboren, und sie haben Ursache sowie Gelegenheit, ihn auszubilden.

Je mehr die schöne Braut solche Gesinnungen bei sich ganz heimlich nährte, je weniger nur irgend jemand dasjenige auszusprechen im Fall war, was zugunsten des Bräutigams gelten konnte, was

Verhältnisse, was Pflicht anzuraten und zu gebieten, ja was eine unabänderliche Notwendigkeit unwiderruflich zu fordern schien, desto mehr begünstigte das schöne Herz seine Einseitigkeit; und indem sie von der einen Seite durch Welt und Familie, Bräutigam und eigne Zusage unauflöslich gebunden war, von der andern der emporstrebende Jüngling gar kein Geheimnis von seinen Gesinnungen, Plänen und Aussichten machte, sich nur als ein treuer und nicht einmal zärtlicher Bruder gegen sie bewies und nun gar von seiner unmittelbaren Abreise die Rede war, so schien es, als ob ihr früher kindischer Geist mit allen seinen Tücken und Gewaltsamkeiten wiedererwachte und sich nun auf einer höheren Lebensstufe mit Unwillen rüstete, bedeutender und verderblicher zu wirken. Sie beschloß zu sterben, um den ehemals Gehaßten und nun so heftig Geliebten für seine Unteilnahme zu strafen und sich, indem sie ihn nicht besitzen sollte, wenigstens mit seiner Einbildungskraft, seiner Reue auf ewig zu vermählen. Er sollte ihr totes Bild nicht loswerden, er sollte nicht aufhören, sich Vorwürfe zu machen, daß er ihre Gesinnungen nicht erkannt, nicht geschätzt habe.

Dieser seltsame Wahnsinn begleitete sie überallhin. Sie verbarg ihn unter allerlei Formen; und ob sie den Menschen gleich wunderlich vorkam, so war niemand aufmerksam oder klug genug, die innere, wahre Ursache zu entdecken.

Indessen hatten sich Freunde, Verwandte, Bekannte in Anordnungen von mancherlei Festen erschöpft. Kaum verging ein Tag, daß nicht irgend etwas Neues und Unerwartetes angestellt worden wäre. Kaum war ein schöner Platz der Landschaft, den man nicht ausgeschmückt und zum Empfang vieler froher Gäste bereitet hätte. Auch wollte unser junger Ankömmling noch vor seiner Abreise das Seinige tun und lud das junge Paar mit einem engeren Familienkreise zu einer Wasserlustfahrt. Man bestieg ein großes, schönes, wohlausgeschmücktes Schiff, eine der Jachten, die einen kleinen Saal und einige Zimmer anbieten und auf das Wasser die Bequemlichkeit des Landes überzutragen suchen.

Man fuhr auf dem großen Strome mit Musik dahin; die Gesellschaft hatte sich bei heißer Tageszeit in den untern Räumen versammelt, um sich an Geistes- und Glücksspielen zu ergötzen. Der junge Wirt, der niemals untätig bleiben konnte, hatte sich ans Steuer gesetzt, den alten Schiffsmeister abzulösen, der an seiner Seite eingeschlafen war; und eben brauchte der Wachende alle seine Vorsicht, da er sich einer Stelle nahte, wo zwei Inseln das Flußbette verengten und, indem sie ihre flachen Kiesufer bald an der einen, bald an der andern Seite hereinstreckten, ein gefährliches Fahrwasser zubereiteten. Fast war der sorgsame und scharfblickende Steurer in Versuchung, den Meister zu wecken, aber er getraute sichs zu und fuhr gegen die Enge. In dem Augenblick erschien auf dem Verdeck seine schöne Feindin mit einem Blumenkranz in den Haaren. Sie nahm ihn ab und warf ihn auf den Steuernden. «Nimm dies zum Andenken!» rief sie aus.

«Störe mich nicht!» rief er ihr entgegen, indem er den Kranz auffing, «ich bedarf aller meiner Kräfte und meiner Aufmerksamkeit.»

«Ich störe dich nicht weiter», rief sie; «du siehst mich nicht wieder!» Sie sprachs und eilte nach dem Vorderteil des Schiffs, von da sie ins Wasser sprang.

Einige Stimmen riefen: «Rettet! rettet! sie ertrinkt.» Er war in der entsetzlichsten Verlegenheit. Über dem Lärm erwacht der alte Schiffsmeister, will das Ruder ergreifen, der jüngere es ihm übergeben, aber es ist keine Zeit, die Herrschaft zu wechseln: das Schiff strandet, und in eben dem Augenblick, die lästigsten Kleidungsstücke wegwerfend, stürzte er sich ins Wasser und schwamm der schönen Feindin nach.

Das Wasser ist ein freundliches Element für den, der damit bekannt ist und es zu behandeln weiß. Es trug ihn, und der geschickte Schwimmer beherrschte es. Bald hatte er die vor ihm fortgerissene Schöne erreicht; er faßte sie, wußte sie zu heben und zu tragen; beide wurden vom Strom gewaltsam fortgerissen, bis sie die Inseln, die Wer-

der weit hinter sich hatten und der Fluß wieder
breit und gemächlich zu fließen anfing. Nun erst
ermannte, nun erholte er sich aus der ersten zu-
dringenden Not, in der er ohne Besinnung nur
mechanisch gehandelt; er blickte mit emporstre-
bendem Haupt umher und ruderte nach Vermögen einer flachen, buschichten Stelle zu, die sich
angenehm und gelegen in den Fluß verlief. Dort
brachte er seine schöne Beute aufs Trockne; aber
kein Lebenshauch war in ihr zu spüren. Er war in
Verzweiflung, als ihm ein betretener Pfad, der
durchs Gebüsch lief, in die Augen leuchtete. Er
belud sich aufs neue mit der teuren Last, er erblickte bald eine einsame Wohnung und erreichte
sie. Dort fand er gute Leute, ein junges Ehepaar.
Das Unglück, die Not sprach sich geschwind aus.
Was er nach einiger Besinnung forderte, ward geleistet. Ein lichtes Feuer brannte, wollne Decken
wurden über ein Lager gebreitet, Pelze, Felle und
was Erwärmendes vorrätig war, schnell herbeige-
tragen. Hier überwand die Begierde zu retten jede
andre Betrachtung. Nichts ward versäumt, den
schönen halbstarren, nackten Körper wieder ins
Leben zu rufen. Es gelang. Sie schlug die Augen
auf, sie erblickte den Freund, umschlang seinen
Hals mit ihren himmlischen Armen. So blieb sie
lange; ein Tränenstrom stürzte aus ihren Augen und
vollendete ihre Genesung. «Willst du mich verlassen», rief sie aus, «da ich dich so wiederfinde?»

«Niemals», rief er, «niemals!» und wußte nicht, was er sagte noch was er tat. «Nur schone dich», rief er hinzu, «schone dich! denke an dich um deinet- und meinetwillen.»

Sie dachte nun an sich und bemerkte jetzt erst den Zustand, in dem sie war. Sie konnte sich vor ihrem Liebling, ihrem Retter nicht schämen; aber sie entließ ihn gern, damit er für sich sorgen möge; denn noch war, was ihn umgab, naß und triefend.

Die jungen Eheleute beredeten sich; er bot dem Jüngling und sie der Schönen das Hochzeitskleid an, das noch vollständig dahing, um ein Paar von Kopf zu Fuß und von innen heraus zu bekleiden. In kurzer Zeit waren die beiden Abenteurer nicht nur angezogen, sondern geputzt. Sie sahen allerliebst aus, staunten einander an, als sie zusammentraten, und fielen sich mit unmäßiger Leidenschaft, und doch halb lächelnd über die Vermummung, gewaltsam in die Arme. Die Kraft der Jugend und die Regsamkeit der Liebe stellten sie in wenigen Augenblicken völlig wieder her, und es fehlte nur die Musik, um sie zum Tanz aufzufordern.

Sich vom Wasser zur Erde, vom Tode zum Leben, aus dem Familienkreise in eine Wildnis, aus der Verzweiflung zum Entzücken, aus der Gleichgültigkeit zur Neigung, zur Leidenschaft gefunden zu haben, alles in einem Augenblick – der Kopf wäre nicht hinreichend, das zu fassen; er würde zerspringen oder sich verwirren. Hierbei muß das Herz das Beste tun, wenn eine solche Überraschung ertragen werden soll.

Ganz verloren eins ins andere, konnten sie erst nach einiger Zeit an die Angst, an die Sorgen der Zurückgelassenen denken, und fast konnten sie selbst nicht ohne Angst, ohne Sorge daran denken, wie sie jenen wiederbegegnen wollten. «Sollen wir fliehen? Sollen wir uns verbergen?» sagte der Jüngling. «Wir wollen zusammenbleiben», sagte sie, indem sie an seinem Hals hing.

Der Landmann, der von ihnen die Geschichte des gestrandeten Schiffs vernommen hatte, eilte, ohne weiter zu fragen, nach dem Ufer. Das Fahrzeug kam glücklich einhergeschwommen; es war mit vieler Mühe losgebracht worden. Man fuhr aufs ungewisse fort, in der Hoffnung, die Verlornen wiederzufinden. Als daher der Landmann mit Rufen und Winken die Schiffenden aufmerksam machte, an eine Stelle lief, wo ein vorteilhafter Landungsplatz sich zeigte, und mit Winken und Rufen nicht aufhörte, wandte sich das Schiff nach dem Ufer, und welch ein Schauspiel ward es, da sie landeten! Die Eltern der beiden Verlobten drängten sich zuerst ans Ufer; den liebenden Bräutigam hatte fast die Besinnung verlassen. Kaum hatten sie vernommen, daß die lieben Kinder gerettet seien, so traten diese in ihrer sonderbaren Verkleidung aus dem Busch hervor. Man erkannte sie nicht eher, als bis sie ganz herangetreten waren. «Wen seh ich?» riefen die Mütter. «Was seh ich?» riefen die Väter. Die Geretteten warfen sich vor ihnen nieder. «Eure Kinder!» riefen sie aus, «ein Paar.» – «Verzeiht!» rief das Mädchen. «Gebt uns Euren Segen!» rief der Jüngling. «Gebt uns Euren Segen!» riefen beide, da alle Welt staunend verstummte. «Euren Segen!» ertönte es zum drittenmal, und wer hätte den versagen können!

DESZÖ KOSZTOLANYI

Die Garderobe

Frau X erreicht Hals über Kopf die Oper. Sie eilt in die Garderobe, legt ihren Wintermantel ab, schnappt das Opernglas.

«Es hat doch nicht schon angefangen?» fragt sie, während sie sich zum Zuschauerraum begibt.

«Doch», antwortet die Garderobenfrau.

«Schon lange?»

«Etwa fünf, sechs Minuten.»

«Kann man nicht noch hineingehen?»

«Es tut mir leid, die Türen sind geschlossen. Aber vielleicht haben Sie die Güte . . .»

«Sie meinen, nach oben, auf den Rang? . . . Vielen Dank, dann bleibe ich lieber hier.»

Sie tritt vor den Spiegel. Sie betrachtet sich, mißtrauisch, wie ein Schriftsteller sein fertiges Manuskript liest. Sie entfernt ein Härchen aus ihrer Braue, als wäre es überflüssiges Beiwerk. Sie unterstreicht mit einem Stift das Rot ihrer Lippen.

Zur anderen Tür stürzt Frau Y herein. Auch sie legt ihre Sachen ab und zahlt. Erst dann hört sie, daß es zu still um sie herum ist.

«Es hat schon geklingelt?» sagt sie, nichts Gutes ahnend.

«Ja.»

«Unerhört. Immer geht die Uhr hier vor.»

«Sie wird nach dem Radio gestellt.»

«Unerhört. Unerhört.»

Auch sie bearbeitet sich vor dem Spiegel. Sie hüllt sich in eine Wolke von Puder ein, verteilt ihn, verwischt ihn und badet sich darin wie ein Spatz im Staub.

Frau X und Frau Y begegnen sich.

«Servus, meine Liebe.» Sie schütteln sich die Hände und lächeln.

Hinter ihrem Lächeln betrachten sie sich blaß vor Neid wie zwei Schriftsteller, wenn sie die Manuskripte voneinander lesen.

«Du siehst schön aus.»

«Du auch.»

Sie mustern die Mäntel und Pelzmäntel an den Haken.

«Viele sind da.»

«Viele. Ein erlesenes Publikum.»

Sie bleiben in der Garderobe stehen.

«Sieh nur, auch Frau A ist hier.»

«Welcher ist das?»

«Da der Bisam. Kennst du sie nicht?»

«Aber ja. Sie könnte bald einen neuen kaufen. Die Haare fallen aus.»

Sie lauschen einige Minuten.

«Sie ist mit ihrer Tochter hier.»

«Mit der abscheulichen, fetten? Der idiotischen?»

Sie wandeln weiter.

«Frau B ist auch hier, Frau C, Frau D. Lauter Bekannte. Was sagst du dazu? Auch Frau E ist da.»

«Wo?»

«Dort am Haken hängt sie. Siehst du nicht?»

«Laß mich mal, meine Liebe... Tatsächlich. Das ist sie. Der Alaskafuchs. Ich habe doch gehört, daß sie pleite gegangen sind. Ihr Mann hat den Offenbarungseid geleistet. Hat er Meineid geschworen?»

«Sie ist nicht mit ihrem Mann da. Der Mantel da neben ihr gehört nicht ihm. Irgendeinem jungen Mann. Sie kommt immer mit einem anderen.»

«Der arme Mann. Ich bedaure nur ihn.»

«Das tue ich auch.»

Sie verstummen nachdenklich. Sie bedauern den armen Herrn E.

«Der Persianer da ist Frau F.»

«Wer ist denn das?»

«Ich denke, ich habe sie bei dir kennengelernt, beim Bridge.»

«Ach ja, ich weiß schon. Ihr Schwiegersohn ist doch dieser ekelhafte Kommunist.»

«Ja, der, der zuckerkranke Sowjetagent.»

Buchstabe für Buchstabe wird das Abc heruntergebetet, wie ein Rosenkranz.

«Hier ist Frau M, ihr stadtbekannter und ebenso scheußlicher Fohlenpelz. Wie schrecklich. Die hat sogar heute noch Lust, sich zu amüsieren.»

«Wieso?»

«Weißt du das nicht? Ihr Sohn ist krank.»

«Was hat er denn?»

«Schwindsucht. Es geht dem Ende entgegen. Sie sollte lieber bei ihm sitzen.»

Wieder bemerken sie auf einem Haken Bekannte.

«Frau Z. Was für ein prachtvoller Pelz! Funkelnagelneu, und Marder.»

«Edelmarder. Sag mal, woher langt das bei denen für die Oper?»

«Im letzten Monat haben sie sich einen neuen Wagen gekauft.»

«Was ist denn ihr Mann?»

«Man sagt, irgendein Spion. Er spioniert für einen Nachfolgestaat.»

«Für welchen denn?»

«Das habe ich mal gehört, aber vergessen. Aber wir wollen über ihn nichts Schlechtes reden...»

Der erste Akt ist zu Ende. Die Zuschauer strömen heraus.

Lächelnd begrüßen sie in der Vorhalle die Besitzerinnen der Pelzmäntel. Sie stellen fest, daß sie sich nicht geirrt haben.

Als es zum zweiten Akt läutet, gehen sie nicht in den Zuschauerraum. Sie warten, bis man die Türen schließt. Dann verlangen sie ihre Mäntel.

«Möchten die Damen nicht hierbleiben?» erkundigt sich die Garderobenfrau.

«Nein», antworten sie. Beide denken bei sich:

«Warum auch? Wir haben wirklich schon alles erledigt.»

Drinnen geht die abgedroschene Geschichte von Lohengrin und Elsa von Brabant weiter.

ANTIOCH KANTEMIR

Hilfsaktion!

Der Kaufmann Karp Sutulov mußte in Handelsgeschäften verreisen. Er begab sich zu seinem Nachbarn und Freund Afanasij Berdov und bat ihn:

«Höre, ich muß jetzt ins Litauische fahren. Meine Frau lasse ich allein zu Hause. Lieber Freund, hilf ihr aus, wenn sie dich um etwas bitten sollte. Ich werde es dir bei meiner Rückkehr danken und mit dir abrechnen.»

Afanasij sagte zu. Mit Freuden werde er sich um Sutulovs Frau kümmern. Als dieser nach Hause kam, sagte er seiner Frau, daß er den Nachbarn gebeten habe, ihr auszuhelfen, wenn sie während seiner Abwesenheit in Geldnot kommen sollte. Jener habe versprochen, sich um sie zu kümmern.

Eindringlich schärfte Karp seiner Frau Tatjana ein: «Gott soll immer zwischen uns sein, meine Herrin Tatjana. Falls du während meiner Abwesenheit hin und wieder deine Freundinnen zum Mahl einlädst, dann lasse ich dir für diese Ausgabe Geld hier. Kaufe davon, was du zur Bewirtung deiner Freundinnen benötigst. Sollte das Geld nicht reichen, dann gehe nach meiner Weisung zu meinem Freunde Afanasij Berdov und bitte ihn um Geld für den Haushalt. Er gibt dir hundert Rubel, und das wird wohl reichen, bis ich wieder zurück bin. Und folge meinem Rat: Entehre während meiner Abwesenheit nicht mein Lager und teile es mit keinem andern!»

Nachdem er solches verfügt hatte, machte er sich auf die Reise. Seine Frau gab ihm liebevoll und frohgemut das Geleit und kehrte dann nach Hause zurück. Bald nach der Abfahrt des Mannes lud sie häufig ihre guten Freundinnen zu sich ein, war vergnügt und guter Dinge mit ihnen, und sie gedachte ihres Mannes Karp in Freude.

Als sie solchermaßen lange Zeit ohne ihren Mann gelebt hatte, ging ihr Geld zu Ende. Seit der Abreise des Mannes waren schon drei Jahre vergangen. Also ging sie zu seinem Freund, zu Afanasij Berdov, und sagte zu ihm: «Mein Herr, Freund meines Mannes! Gib mir bis zur Rückkehr meines Mannes hundert Rubel. Als mein Gatte Karp in seinen Handelsgeschäften abreiste, gab er mir Anweisung: ‹Wenn dir während meiner Abwesenheit für verschiedene Bedürfnisse und Käufe das Geld nicht reicht, dann gehe, bei meinem Wort, zu Afanasij Berdov, meinem Freund, und nimm dir von ihm für den Unterhalt hundert Rubel.› Also leihe mir nun diese hundert Rubel, die ich bis zur Heimkehr meines Mannes benötige. Sowie mein Mann zurückkommt, wird er dir das Geld wiedergeben.»

Ohne den Blick von ihr zu wenden, hörte Afanasij Berdov sie an, betrachtete ihr hübsches Gesicht und entbrannte in Leidenschaft zu ihr. Er sagte: «Ich werde dir hundert Rubel für deinen Unterhalt geben, aber du mußt eine Nacht mit mir verbringen.»

Ganz verwirrt von diesen Worten, wußte sie nicht, was sie antworten sollte. Sie sagte zu ihm: «Das kann ich ohne Geheiß meines geistlichen Vaters nicht tun. Ich will zu ihm gehen und ihn fragen. Was er mich heißt, das werde ich auch tun.»

Schnell kehrte sie nach Hause zurück, ließ ihren geistlichen Vater rufen und sagte zu ihm: «Mein geistlicher Vater! Was heißt du mich in diesem Fall zu tun? Mein Mann ist in Handelsgeschäften weggefahren und hat zu mir gesagt: ‹Wenn dir das Geld für deine Bedürfnisse nicht reicht, dann gehe zu meinem Freund Afanasij Berdov, er wird dir mit meinem Einverständnis hundert Rubel geben.› Nunmehr habe ich kein Geld zum Leben mehr, und ich bin gemäß dem Rat meines Mannes zu seinem Freund Afanasij Berdov gegangen. Und er hat gesagt: ‹Ich werde dir hundert Rubel geben, aber du mußt eine Nacht mit mir schlafen!› Ich weiß nun nicht, was ich tun soll. Ich wage nicht, solches mit ihm zu tun, ohne daß du, mein geistlicher Vater, es gutheißt. Was befiehlst du mir zu tun?»

Der Geistliche sagte zu ihr: «Ich gebe dir zweihundert Rubel, wenn du eine Nacht mit mir verbringst.»

Verwirrt von diesen Worten, wußte sie nicht, was sie ihrem geistlichen Vater antworten sollte. Sie sagte zu ihm: «Gib mir eine kurze Frist, Ehrwürden.»

Und sie begab sich heimlich von ihm zum Haus des Bischofs und sagte zu ihm: «O großer, heiligmäßiger Herr! Was befiehlst du mir in so einem

Fall zu tun? Mein Mann, der bekannte Kaufmann Karp Sutulov, ist in seinen Handelsgeschäften ins litauische Land gereist. Jetzt ist er schon seit drei Jahren fort. Bei seiner Abreise hat er mir Geld für den Lebensbedarf zurückgelassen. Nunmehr ist das Geld vor seiner Rückkehr aufgebraucht. Als mein Mann auf die Reise ging, sagte er jedoch zu mir: ‹Wenn dir das Geld für den Unterhalt nicht reicht, rate ich dir: gehe zu meinem Freund Afanasij Berdov, er wird dir gemäß meiner Anweisung für deinen Bedarf und Unterhalt hundert Rubel geben.› Also ging ich heute zu diesem Freund meines Mannes und bat ihn, mir für meinen Bedarf hundert Rubel bis zur Rückkehr meines Mannes zu leihen. Er sagte jedoch zu mir: ‹Ich werde dir hundert Rubel geben, wenn du eine Nacht mit mir verbringst.› Aber ich wagte solches nicht ohne den Rat meines geistlichen Vaters zu tun. Deshalb ging ich zu ihm und fragte ihn, was er mich zu tun heiße. Und er sagte zu mir: ‹Wenn du mit mir eine Nacht verbringst, gebe ich dir zweihundert Rubel.› Ich hatte jedoch nicht den Mut, das zu tun.»

Der Bischof sagte zu ihr: «Laß sie beide, den Popen wie den Kaufmann. Schlafe lieber mit mir, ich gebe dir dreihundert Rubel.»

Sie wußte nicht, was sie ihm antworten sollte. Da sie ihm nicht zu Willen zu sein wünschte, sagte sie zu ihm: «O großer heiligmäßiger Herr! Wie kann ich dem höllischen Feuer entgehen?»

Er sagte jedoch zu ihr: «Ich spreche dich von aller Sünde frei.»

Da gebot sie ihm, in der dritten Stunde des Tages zu ihr zu kommen. Danach ging sie zu ihrem geistlichen Vater und sagte zu ihm: «Ehrwürden, sei in der sechsten Stunde des Tags bei mir!» Schließlich begab sie sich zum Freund ihres Mannes, zu Afanasij Berdov, und sagte zu ihm: «Freund meines Mannes! Komm in der zehnten Stunde des Tags zu mir!»

Und da kam also der Bischof an. Sie begegnete ihm mit großer Ehrerbietung. Von heftigem Verlangen nach ihr entbrannt, brachte er ihr die dreihundert Rubel, gab sie ihr und wollte mit ihr zusammensein. Sie sagte jedoch zu ihm: «Du mußt dir ein altes, zerschlissenes Gewand anziehen. Es gehört sich nicht für dich, daß du bei mir in derselben Kleidung weilst, in welcher du vor der Volksmenge Gott preist und dich vor Gott stellst.»

Er antwortete jedoch: «Es sieht mich doch auch in diesem Gewand niemand; warum soll ich ein anderes anziehen, wenn mich niemand mit dir hier zu Gesicht bekommt?»

Sie sagte jedoch: «Gott sieht alle unsere Taten, Eminenz!»

Der Bischof sagte daraufhin: «Ich habe aber keinerlei weltliches Gewand bei mir, meine Herrin. Kannst du mir, bitte, nicht von dir irgendein Kleidungsstück geben?»

Da gab sie ihm ein Frauenhemd, das sie selbst getragen hatte, zog dem Bischof das Gewand aus, legte es in eine Truhe und sagte zu ihm: «Außer diesem Hemd habe ich im Augenblick nichts anderes im Hause. Die Sachen meines Mannes habe ich der Wäscherin gegeben.»

Hocherfreut nahm der Bischof das Frauenhemd und zog es an: «Was für ein besseres Gewand kann ich mir wünschen, Herrin, wenn ich mit dir zusammen sein will?»

«Das will ich auch tun», antwortete sie, «aber zuvor müssen wir miteinander abrechnen.»

In diesem Augenblick kam der Pope, ihr geistlicher Vater, nach ihrem Geheiß ans Tor, brachte zweihundert Rubel mit und pochte an das Tor. Die Frau warf rasch einen Blick durch das Fensterchen, klatschte in die Hände und rief: «Gott sei gelobt, daß er mir eine so große und maßlose Freude schenkt!»

Der Bischof fragte: «Von welcher Freude bist du denn so hingerissen, Herrin?»

«Es ist mein Mann!» rief sie zur Antwort. «Er ist von der Handelsreise zurückgekommen, gerade, als ich ihn nicht erwartet habe.»

Da sagte der Bischof zu ihr: «Meine Herrin! Wohin soll ich vor Schande fliehen?»

Sie sagte zu ihm: «Du, mein Herr, steige in die Truhe und bleibe dort sitzen, bis ich dich zu günstiger Stunde herauslasse.»

Er versteckte sich flugs in der Truhe, und die Frau schloß ihn ein.

Der Pope war inzwischen schon auf der Treppe. Die Frau empfing ihn. Er gab ihr zweihundert Rubel und begann verliebte Worte zu stammeln.

Sie sagte jedoch zu ihm: «Mein geistlicher Vater! Was hat dich so an mir verlockt? Wegen einer einzigen Minute werden wir uns beide in alle Ewigkeit quälen müssen.»

Der Pope antwortete ihr jedoch: «Mein Beichtkind! Wenn du wegen einer Sünde Gott und deinen geistlichen Vater erzürnst, warum willst du flehen und Gott gnädig stimmen?»

Sie antwortete ihm jedoch: «Ob du darüber wohl richtig urteilst, Vater? Hast du die Macht, mich ins Paradies oder in Höllenpein zu bringen?»

Und so redeten sie so lange, bis auch der reiche Kaufmann, ihres Mannes Freund, Afanasij Berdov, ans Tor kam und zu pochen begann. Sie sprang flink ans Fenster, schaute durch die Scheibe, erblickte den reichen Kaufmann, ihres Mannes Freund, klatschte in die Hände und rannte durch das Zimmer.

Der Pope fragte sie: «Sage, mein Kind, wer vor dem Tor steht und warum du vor Freude ganz außer dir bist?»

Sie antwortete ihm: «Achte meine Freude, Vater! Es ist mein Mann, das Licht meiner Augen, er ist von der Kauffahrt zu mir heimgekehrt.»

«Ach, schwere Not!» rief der Pope. «Wohin soll ich mich vor der Schande verkriechen, meine Herrin?»

Da sagte sie zu ihm: «Habe keine Angst vor der Schande, Vater, aber fürchte dich vor deinem Tod, vor der Sünde des Sterblichen. Einmal wirst du sterben, und wenn du eine Sünde begangen hast, wirst du auf ewig gepeinigt werden.»

Sie wies ihm eine andere Truhe im gleichen Zimmer. Der Pope stand nur im Hemd und ohne Gürtel da. «Steige sofort in diese Truhe, Vater», sagte sie zu ihm. «Zu gegebener Zeit lasse ich dich heraus.»

Er versteckte sich rasch in der Truhe, und die Frau verschloß sie hinter ihm.

Dann ging sie schnell zum Tor und ließ den Kaufmann ins Haus. Als er im Zimmer war, gab er ihr hundert Rubel. Sie nahm das Geld und freute sich. Er starrte unverwandt auf die unsagbare Schönheit ihres Gesichts. Sie sagte zu ihm: «Weswegen siehst du mich so an und überhäufst mich mit Lob?»

Der Kaufmann sagte jedoch zu ihr: «Meine Herrin! Wenn ich mich an deiner Schönheit gelabt und gesättigt habe, dann gehe ich sofort nach Hause.»

Da sie nicht wußte, wie sie den Kaufmann von sich fernhalten sollte, befahl sie ihrer Magd, hinauszugehen und zu klopfen. Auf das Geheiß ihrer

Herrin ging die Magd vor das Haus und klopfte laut ans Tor. Die Frau lief rasch zum Fensterchen und rief: «O unausdrückliche Freude meiner vollkommenen Liebe! O Licht meiner Augen und Verlangen meiner Seele, meine Freude!»

Der Kaufmann fragte sie: «Welche Freude, meine Herrin, hat sich deiner so stark bemächtigt? Was hast du durch das Fenster gesehen?»

«Mein Mann ist zurückgekommen!» antwortete sie.

Als der Kaufmann diese Worte vernahm, rannte er in der Stube hin und her und fragte: «Meine Herrin! Sage mir, wo ich mich vor solcher Schande verbergen soll?»

Sie zeigte auf eine dritte Truhe und sagte: «Krieche hinein, ich lasse dich später heraus!» Er schlüpfte flink in die Truhe. Und die Frau schloß hinter ihm zu.

Am Morgen ging sie in die Stadt zum Haus des Wojewoden und bat, ihm zu melden, er solle zu ihr kommen. Der Wojewode fragte sie: «Woher kommst du, Frau, und warum bittest du mich, zu dir zu kommen?»

Sie sagte zu ihm: «Ich, mein Herr, bin eine Kaufmannsfrau. Kennst du, Herr, meinen Mann, den reichen Kaufmann Sutulov?»

«Deinen Mann kenne ich gut», sagte der Wojewode. «Er ist ja ein bekannter Kaufmann.»

Darauf sagte sie zu ihm: «Es ist schon das dritte

Jahr, daß mein Mann in Handelsgeschäften verreist ist, und er hat mir aufgetragen, mir bei dem Kaufmann unserer Stadt, bei Afanasij Berdov, seinem Freund, hundert Rubel zu holen, wenn mir das Geld nicht reicht. Weil ich nach der Abreise meines Mannes häufig meine guten Freundinnen zu mir geladen habe, ist mir nunmehr das Geld ausgegangen. Und da bin ich zu diesem Kaufmann, zu Afanasij Berdov gegangen, habe ihn aber nicht zu Hause angetroffen. Leihe du mir bitte hundert Rubel, ich gebe dir drei Truhen mit teuren, kostbaren Gewändern zum Pfand.»

Der Wojewode sagte zu ihr: «Ich höre, daß du die Frau eines braven, reichen Mannes bist, ich gebe dir auch ohne Pfand hundert Rubel. Wenn Gott deinen Mann von der Handelsreise glücklich heimkehren läßt, hole ich mir das Geld von ihm.»

Da sagte sie zu ihm: «Nimm, um Gottes willen, die Truhen, denn es sind viele teure Gewänder darin. Ich fürchte, die Diebe könnten mir die Truhen stehlen. Dann wird mich mein Mann bestrafen und zu mir sagen: ‹Hättest du sie doch bis zu meiner Rückkehr einem zuverlässigen Mann zur Aufbewahrung gegeben!›»

Als der Wojewode dies hörte, befahl er, alle drei Truhen herbeizuholen, denn er nahm an, daß sich tatsächlich kostbare Gewänder in ihnen befänden.

Die Frau nahm fünf Mann von der Dienerschaft des Wojewoden mit sich und fuhr mit ihnen heim.

Dort wurden die Truhen aufgeladen, und sie kam mit ihnen zurück. Man brachte die Truhen auf den Hof des Wojewoden. Die Frau bat den Wojewoden, sich die Gewänder anzusehen.

Der Wojewode befahl ihr, alle drei Truhen aufzuschließen. Da erblickte er in der einen Truhe den nur mit einem Hemd bekleideten Kaufmann, in der zweiten Truhe den Popen im Hemd ohne Gürtel und in der dritten Truhe den Bischof in einem Frauenhemd.

Als der Wojewode sah, in welch würdelosem Zustand sie in bloßen Hemden in den Truhen hockten, lachte er laut auf und sagte zu ihnen: «Wer hat euch denn, nur mit dem Hemd bekleidet, dort hineingesetzt?» Und er gebot ihnen, aus den Truhen herauszukommen.

Sie waren von der klugen Frau so mit Schande bedeckt, daß sie vor Scham fast starben. Alle drei fielen dem Wojewoden zu Füßen und klagten sich mit bitteren Worten ihrer Sündhaftigkeit an.

«Warum heult ihr und verneigt euch vor mir?» sagte der Wojewode zu ihnen. «Verneigt euch vor dieser Frau! Sie möge euch eure Narrheit verzeihen.» Und zu der Frau sagte der Wojewode in jener Gegenwart: «Erzähle, Frau, wie du sie in die Truhen gesperrt hast!»

Da berichtete sie dem Wojewoden, wie ihr Mann sich auf die Kauffahrt begeben und ihr aufgetragen habe, bei dem Kaufmann Afanasij Ber-

dov hundert Rubel zu borgen, wie sie zu ihm gegangen sei und ihn um diese hundert Rubel gebeten habe und wie jener Kaufmann mit ihr zusammen sein wollte. Und dann erzählte sie genau, was
mit dem Popen und mit dem Bischof gewesen war,
zu welcher Stunde sie ihnen befohlen hatte zu
kommen und wie sie von ihr getäuscht und in die
Truhen gesperrt worden waren.

Als der Wojewode ihre Erzählung vernommen
hatte, staunte er über ihre Klugheit und lobte sie
sehr, weil sie ihr Lager nicht besudelt hatte. Lachend sagte der Wojewode zu ihr: «Dein Pfand ist
gut, Frau, und kostet deren Geld!» Und der Wojewode bestrafte den Kaufmann mit fünfhundert
Rubel, den Popen mit tausend und den Bischof
mit eintausendfünfhundert Rubel Buße. Dann ließ
er sie laufen. Das erhaltene Geld teilte er mit der
Frau und pries ihre Klugheit und Vernunft, weil
sie ihrem Mann während seiner Abwesenheit keine Schande gemacht, keine Liebeshändel mit jenen
gehabt, die Eintracht mit ihrem Manne gewahrt,
sich selbst große Ehre gemacht und ihr Lager nicht
geschändet habe.

Kurze Zeit später kehrte ihr Mann von der
Kauffahrt heim. Die Frau berichtete ihm alles der
Reihe nach. Er freute sich über alles, was sie getan
hatte, und war sehr glücklich, eine so gute Frau zu
besitzen.

JAMES THURBER

Die Schlampe und die Überemsige

Eine Häsin, die ihre Nase in aller Leute Angelegenheiten steckte, war in ihrer Umgebung als «die Überemsige» bekannt. Sie hörte jeden Fußtritt ihrer Nachbarn. «Du bist ganz und gar Ohr», quengelte ihr Mann eines Tages; «um Gottes willen, gewöhne dir ein bißchen Laissez-faire an!» Er bekam keine Antwort, denn seine Frau war schon nach nebenan gehoppelt, um eine Meerschweinchenfrau zu belehren, zu ermahnen und zu tadeln, die siebenunddreißig Junge geboren hatte und sich seitdem etwas gehenließ. Sie war eine Schlampe geworden, die ihre Zeit damit verbrachte, über den Leseheften «Wahre Schweinereien» Rührungstränen zu vergießen. «Wo ist dein Gemeinschaftsgeist?» fragte Frau Hase, «dein Länder-, Staats- und Weltinteresse? Sieh mich an! Ich bin Präsidentin oder Vorsitzende von praktisch jeder Vereinigung, die es gibt, und dazu Gründerin des ‹Horchpostens›, einer Organisation von achthundert Frauengruppen, die ihre Ohren am Boden haben.»

Der Meerschweinchenmann, der auf einem Huflattichblatt lag und alle Dinge gern leichtnahm, versuchte, sich vor der schnüffelnden Nachbarin zu verstecken, aber die kam holterdiepolter ins Zimmer, ehe er aus dem Bett war. «Ein starker, elastischer Mann wie du», schnaufte sie, «– und dann sich im Haus herumlümmeln, statt in einem Laboratorium für eine Injektion zur Stelle zu sein, damit sich erweist, ob irgendein neues Serum tödlich ist oder nicht!» Dem Meerschweinchen begannen die Zähne zu zittern, und das bedeutet bei einem Meerschweinchen nicht, daß es Angst hat, sondern daß es wütend ist. Aber die Überemsige fragte nie danach, wie anderen zumute war. «Du und deine Frau – ihr solltet Initiative ergreifen!» rief sie aus. «Ran mit der Schulter ans festgefahrene Rad, den Hammer geschwungen, die Nase in den Wind, den Fuß auf eine gegnerische Brust!»

Es dauerte nicht lange, und Frau Meerschwein hatte einen Schuldkomplex entwickelt, den sie mit ungeheurem Tatendrang abreagierte. Sie bestellte die «Wahren Schweinereien» ab, nahm ihrem Mann das eßbare Bett weg, machte groß reine und schloß sich sodann vierundzwanzig bestehenden, beziehungsweise neu zu gründenden Vereinen an. Sie wurde berühmt dafür, alle Leute auf einen grünen Zweig zu bringen, egal, ob sie auf einen hinauf wollten oder nicht. Sie wurde Vorsitzende des Jedem-Baby-ein-Körbchen-Komitees, Sekretärin der Stelle-dich-hinter-deinen-Mann-und-schiebe-ihn-Bewegung, Schatzmeisterin der Laß-Vater-nicht-trödeln-Liga und Erfinderin des Schlagworts: Er schafft das Doppelte in der halben Zeit, wenn er deinen Verstand dazu gebraucht! – und Präsident der «Ehrgeizigen Nagetiertöchter».

Die so gefeierte Frau Meerschwein fand auch noch Zeit, weitere siebenunddreißig Nachkommen zur Welt zu bringen, das waren siebenunddreißig mehr, als ihr Mann beabsichtigt hatte. Sie brachten ihn zur Verzweiflung, wo er den Mann der Häsin traf, der von seiner eigenen Frau und deren privaten und öffentlichen Projekten dorthin gebracht worden war. Die beiden Männer hatten eine so ruhige, friedvolle Zeit miteinander, daß sie beschlossen, es bei diesem Zustand zu belassen. Repräsentantinnen von sechsundneunzig verschiedenen Organisationen – die zweiundsiebzig, zu denen Frau Hase gehörte, und Frau Meerschweins vierundzwanzig – versuchten vergeblich, die beiden Männer andersherum zu überzeugen. Eines Abends liefen sie fort, während ihre Frauen gerade im Er-könnte-wenn-er-wollte-er-versucht's-nur-nicht-Club Reden hielten, und hinterließen keinen Abschiedsbrief, keine Notiz auf dem Kopfkissen oder eine Postnachsendeadresse. Sie beschlossen, nach Tahiti zu gehen, um zu vergessen, aber sie hatten schon vergessen, lange bevor sie Tahiti erreichten.

Moral: Versuche nie, die Frau deines Nachbarn umzustimmen oder dem Nachbarn das Leben zu versauern.

HEINRICH HEINE

Haarüh!

In meiner Vaterstadt wohnte ein Mann, welcher «der Dreckmichel» hieß, weil er jeden Morgen mit einem Karren, woran ein Esel gespannt war, die Straßen der Stadt durchzog und vor jedem Hause stillhielt, um den Kehricht, welchen die Mädchen in zierlichen Haufen zusammengekehrt, aufzuladen und aus der Stadt nach dem Mistfelde zu transportieren. Der Mann sah aus wie sein Gewerbe, und der Esel, welcher seinerseits wie sein Herr aussah, hielt still vor den Häusern oder setzte sich in Trab, je nachdem die Modulation war, womit der Michel ihm das Wort «Haarüh!» zurief.

Krieg solches sein wirklicher Name oder nur ein Stichwort? Ich weiß nicht, doch so viel ist gewiß, daß ich durch die Ähnlichkeit jenes Wortes mit meinem Namen Harry außerordentlich viel Leid von Schulkameraden und Nachbarskindern auszustehen hatte. Um mich zu nergeln, sprachen sie ihn ganz so aus, wie der Dreckmichel seinen Esel rief, und ward ich darob erbost, so nahmen die Schälke manchmal eine ganz unschuldige Miene an und verlangten, um jede Verwechselung zu vermeiden, ich sollte sie lehren, wie mein Name und der des Esels ausgesprochen werden müßten, stell-

ten sich aber dabei sehr ungelehrig, meinten, der
Michel pflege die erste Silbe immer sehr langsam
anzuziehen, während er die zweite Silbe immer
sehr schnell abschnappen lasse; zu anderen Zeiten
geschähe das Gegenteil, wodurch der Ruf wieder
ganz meinem eigenen Namen gleichlaute, und indem die Buben in der unsinnigsten Weise alle Be-
griffe und mich mit dem Esel und wieder diesen
mit mir verwechselten, gab es tolle *Coq-à-l'âne*,
über die jeder andere lachen, aber ich selbst weinen mußte.

Als ich mich bei meiner Mutter beklagte, meinte sie, ich solle nur suchen, viel zu lernen und
gescheit zu werden, und man werde mich dann nie
mit einem Esel verwechseln.

Aber meine Homonymität mit dem schäbigen
Langohr blieb mein Alp. Die großen Buben gingen vorbei und grüßten: «Haarüh!», die kleineren
riefen mir denselben Gruß, aber in einiger Entfernung. In der Schule ward dasselbe Thema mit raf-
finierter Grausamkeit ausgebeutet; wenn nur irgend von einem Esel die Rede war, schielte man
nach mir, der ich immer errötete, und es ist un-
glaublich, wie Schulknaben überall Anzüglichkei-
ten hervorzuheben oder zu erfinden wissen.

Zum Beispiel, der eine frug den andern: «Wie
unterscheidet sich das Zebra von dem Esel des
Barlaam, Sohn Boers?» Die Antwort lautete: «Der
eine spricht zebräisch und der andere sprach he-

bräisch.» – Dann kam die Frage: «Wie unterscheidet sich aber der Esel des Dreckmichels von seinem Namensvetter», und die impertinente Antwort war: «Den Unterschied wissen wir nicht.» Ich wollte dann zuschlagen, aber man beschwichtigte mich, und mein Freund Dietrich, der außerordentlich schöne Heiligenbildchen zu verfertigen wußte und auch später ein berühmter Maler wurde, suchte mich einst bei einer solchen Gelegenheit zu trösten, indem er mir ein Bild versprach. Er malte für mich einen heiligen Michael – aber der Bösewicht hatte mich schändlich verhöhnt. Der Erzengel hatte die Züge des Dreckmichels, sein Roß sah ganz aus wie dessen Esel, und statt einen Drachen durchstach die Lanze das Aas einer toten Katze.

Sogar der blondlockigte, sanfte, mädchenhafte Franz, den ich so sehr liebte, verriet mich einst: er schloß mich in seine Arme, lehnte seine Wange zärtlich an die meinige, blieb lange sentimental an meiner Brust und – rief mir plötzlich ins Ohr ein lachendes Haarüh! – das schnöde Wort im Davonlaufen beständig modulierend, daß es weithin durch die Kreuzgänge des Klosters widerhallte.

Noch roher behandelten mich einige Nachbarskinder, Gassenbuben jener niedrigsten Klasse, welche wir in Düsseldorf «Haluten» nannten, ein Wort, welches Etymologienjäger gewiß von den Heloten der Spartaner ableiten würden.

Ein solcher Halut war der kleine Jupp, welches Joseph heißt, und den ich auch mit seinem Vatersnamen Flader benennen will, damit er beileibe nicht mit dem Jupp Rörsch verwechselt werde, welcher ein ganz artiges Nachbarskind war und, wie ich zufällig erfahren, jetzt als Postbeamter in Bonn lebt. Der Jupp Flader trug immer einen langen Fischerstecken, womit er nach mir schlug, wenn er mir begegnete. Er pflegte mir auch gern Roßäpfel an den Kopf zu werfen, die er brühwarm, wie sie aus dem Backofen der Natur kamen, von der Straße aufraffte. Aber nie unterließ er dann auch das fatale Haarüh! zu rufen, und zwar in allen Modulationen.

Der böse Bub war der Enkel der alten Frau Flader, welche zu den Klientinnen meines Vaters gehörte. So böse der Bub war, so gutmütig war die arme Großmutter, ein Bild der Armut und des Elends, aber nicht abstoßend, sondern nur herzzerreißend. Sie war wohl über 80 Jahre alt, eine große Schlottergestalt, ein weißes Ledergesicht mit blassen Kummeraugen, eine weiche, röchelnde, wimmernde Stimme, und bettelnd ganz ohne Phrase, was immer furchtbar klingt.

Mein Vater gab ihr immer einen Stuhl, wenn sie kam, ihr Monatsgeld abzuholen an den Tagen, wo er als Armenpfleger seine Sitzungen hielt.

Von diesen Sitzungen meines Vaters als Armenpfleger blieben mir nur diejenigen im Gedächtnis, welche im Winter stattfanden, in der Frühe des Morgens, wenn's noch dunkel war. Mein Vater saß dann an einem großen Tische, der mit Geldtüten jeder Größe bedeckt war; statt der silbernen Leuchter mit Wachskerzen, deren sich mein Vater gewöhnlich bediente, und womit er, dessen Herz so viel Takt besaß, vor der Armut nicht prunken wollte, standen jetzt auf dem Tische zwei kupferne Leuchter mit Talglichtern, die mit der roten Flamme des dicken, schwarzgebrannten Dochtes gar traurig die anwesende Gesellschaft beleuchteten.

Das waren arme Leute jedes Alters, die bis in den Vorsaal Queue machten. Einer nach dem andern kam, seine Tüte in Empfang zu nehmen, und mancher erhielt zwei; die große Tüte enthielt das Privatalmosen meines Vaters, die kleine das Geld der Armenkasse.

Ich saß auf einem hohen Stuhle neben meinem Vater und reichte ihm die Tüten. Mein Vater wollte nämlich, ich sollte lernen, wie man gibt, und in diesem Fache konnte man bei meinem Vater etwas Tüchtiges lernen.

Gegen die alte Flader war er am höflichsten, und er bot ihr immer einen Stuhl. Sie war auch wirklich so schlecht auf den Beinen und konnte mit ihrer Handkrücke kaum forthumpeln.

Als sie zum letztenmal zu meinem Vater kam, um ihr Monatsgeld abzuholen, war sie so zusammenfallend, daß ihr Enkel, der Jupp, sie führen mußte. Dieser warf mir einen sonderbaren Blick zu, als er mich an dem Tische neben meinem Vater sitzen sah. Die Alte erhielt außer der kleinen Tüte auch noch eine ganz große Privattüte von meinem Vater, und sie ergoß sich in einen Strom von Segenswünschen und Tränen.

Es ist fürchterlich, wenn eine alte Großmutter so weint. Ich hätte selbst weinen können, und die alte Frau mochte es mir wohl anmerken. Sie konnte nicht genug rühmen, welch ein hübsches Kind ich sei, und sie sagte, sie wollte die Mutter Gottes bitten, dafür zu sorgen, daß ich niemals im Leben Hunger leiden und bei den Leuten betteln müsse.

Mein Vater ward über diese Worte etwas verdrießlich, aber die Alte meinte es ehrlich, und sie sagte zuletzt zu ihrem Enkel: »Geh, Jupp, und küsse dem lieben Kinde die Hand.« Der Jupp schnitt eine säuerliche Grimasse, aber er gehorchte dem Befehl der Großmutter. Schwerlich konnte ich sagen warum, aber ich zog aus der Tasche alle meine Fettmännchen, kleine Kupfermünzen, und gab sie dem Jupp, der mit einem roh blöden Gesicht sie Stück vor Stück zählte und endlich ganz gelassen in die Tasche seiner Bux steckte.

Der böse Bube blieb unverändert. Schon den andern Tag nach unserm Zusammentreffen bei meinem Vater begegnete ich ihm auf der Straße. Er ging mit seiner wohlbekannten langen Fischerrute.

Er schlug mich wieder mit diesem Stecken, warf auch wieder nach mir mit einigen Roßäpfeln und schrie wieder das fatale Haarüh! und zwar so laut und die Stimme des Dreckmichels so treu nachahmend, daß der Esel desselben, der sich mit dem Karren zufällig in einer Nebengasse befand, den Ruf seines Herrn zu vernehmen glaubte und ein fröhliches I-A erschallen ließ.

JOSEPH VON EICHENDORFF

Ein ins Derbe gefertigtes Idyll

Die fernen blauen Berge über den Waldesgipfeln waren damals in der guten alten Zeit für den Landjunker wirklich noch ein unerreichbarer Gegenstand der Sehnsucht und Neugier, das Leben der großen Welt, von der wohl zuweilen die Zeitungen Nachricht brachten, erschien wie ein wunderbares Märchen. Die große Einförmigkeit wurde nur durch häufige Jagden, die gewöhnlich mit ungeheurem Lärm, Freudenschüssen und abenteuerlichen Jägerlügen endigten, sowie durch die unvermeidlichen Fahrten zum Jahrmarkt der nächsten Landstadt unterbrochen. Die letzteren insbesondere waren seltsam genug und könnten sich jetzt wohl in einem Karnevalszuge mit Glück sehen lassen. Vorauf fuhren die Damen im besten Sonntagsstaate, bei den schlechten Wegen nicht ohne Lebensgefahr, unter beständigem Peitschenknall in einer mit vier dicken Rappen bespannten altmodischen Karosse, die, über dem unförmlichen Balkengestell in ledernen Riemen hängend, bedenklich hin und her schwankte. Die Herren dagegen folgten auf einer sogenannten «Wurst», einem langen gepolsterten Koffer, auf welchem diese Haimonskinder dicht hintereinander und einer dem andern auf den Zopf sehend, rittlings balancierten.

Am liebenswürdigsten aber waren sie unstreitig auf ihren Winterbällen, die die Nachbarn auf ihren verschneiten Landsitzen wechselweise einander ausrichteten. Hier zeigte es sich, wie wenig Apparat zur Lust gehört, die überall am liebsten improvisiert sein will und jetzt so häufig von lauter Anstalten dazu erdrückt wird. Das größte, schnell ausgeräumte Wohnzimmer mit oft bedrohlich elastischem Fußboden stellte den Saal vor, der Schulmeister mit seiner Bande das Orchester, wenige Lichter in den verschiedenartigsten Leuchtern warfen eine ungewisse Dämmerung in die entfernteren Winkel umher und über die Gruppe von Verwalter- und Jägerfrauen, die in der offenen Nebentüre Kopf an Kopf dem Tanze der Herrschaften ehrerbietig zusahen. Desto strahlender aber leuchten die frischen Augen der vergnügten Landfräulein, die beständig untereinander etwas zu flüstern, zu kichern und zu necken hatten. Ihre unschuldige Koketterie wußte noch nichts von jener fatalen Prüderie, die immer nur ein Symptom von sittlicher Befangenheit ist. Man konnte sie füglich mit jungen Kätzchen vergleichen, die sorglos in wilden und doch graziös-anmutigen Sprüngen und Windungen im Frühlingssonnenscheine spielen. Denn hübsch waren sie meist, bis auf wenige dunkelrote Exemplare, die in ihrem knappen Festkleide, wie Päonien, von allzu massiver Gesundheit strotzten.

Der Ball wurde jederzeit noch mit dem herkömmlichen Initialschnörkel eines ziemlich ungeschickt ausgeführten Menuetts eröffnet, und gleichsam parodisch mit dem graden Gegenteil, dem tollen «Kehraus» beschlossen. Ein besonders gutgeschultes Paar gab wohl auch, von einem Kreise bewundernder Zuschauer umringt, den «Kosackischen» zum besten, wo nur ein Herr und eine Dame ohne alle Touren, sie in heiter zierlichen Bewegungen, er mit grotesker Kühnheit wie ein am Schnürchen gezogener Hampelmann, abwechselnd gegeneinander tanzten. Überhaupt wurde damals, weil mit Leib und Seele, noch mit einer aufopfernden Todesverachtung und Kunstbeflissenheit getanzt, gegen die das heutige vornehm nachlässige Schlendern ein ermüdendes Bild allgemeiner Blasiertheit darbietet. Dabei schwirrten die Geigen und schmetterten die Trompeten und klirrten unaufhörlich die Gläser im Nebengemach, ja zuweilen, wenn der Punsch stark genug gewesen, stürzten selbst die alten Herren, zum sichtbaren Verdruß ihrer Ehefrauen, sich mit den ungeheuerlichsten Kapriolen mit in den Tanz; es war eine wahrhaft ansteckende Lustigkeit. Und zuletzt dann noch auf der nächtlichen Heimfahrt durch die gespensterhafte Stille der Winterlandschaft unter dem klaren Sternenhimmel das selige Nachträumen der schönen Kinder.

Die Glücklichen hausten mit genügsamem Behagen großenteils in ganz unansehnlichen Häusern (unvermeidlich «Schlösser» geheißen), die selbst in der reizendsten Gegend nicht etwa nach ästhetischem Bedürfnis schöner Fernsichten angelegt waren, sondern um aus allen Fenstern Ställe und Scheunen bequem überschauen zu können. Denn ein guter Ökonom war das Ideal der Herren, der Ruf einer «Kernwirtin» der Stolz der Dame. Sie hatten weder Zeit noch Sinn für die Schönheit der Natur, sie waren selbst noch Naturprodukte. Das bißchen Poesie des Lebens war als nutzloser Luxus lediglich den jungen Töchtern überlassen, die denn auch nicht verfehlten, in den wenigen müßigen Stunden längst veraltete Arien und Sonaten auf einem schlechten Klaviere zu klimpern und den hinter dem Hause gelegenen

Obst- und Gemüsegarten mit auserlesenen Blumenbeeten zu schmücken. Gleich mit Tagesanbruch entstand ein gewaltiges Rumoren in Haus und Hof, vor dem der erschrockene Fremde, um nicht etwa umgerannt zu werden, eilig in den Garten zu flüchten suchte. Da flogen überall die Türen krachend auf und zu, da wurde unter vielem Gezänk und vergeblichem Rufen gefegt, gemolken und gebuttert, und die Schwalben, als ob sie bei der Wirtschaft mit beteiligt wären, kreuzten jubelnd über dem Gewirr, und durch die offenen Fenster schien die Morgensonne so heiter durchs ganze Haus über die vergilbten Familienbilder und die Messingbeschläge der alten Möbel, die jetzt als Rokoko wieder für jung gelten würden.

An schönen Sommernachmittagen aber kam häufig Besuch aus der Nachbarschaft. Nach den geräuschvollen Empfangskomplimenten und höflichen Fragen nach dem werten Befinden ließ man sich dann gewöhnlich in der desolaten Gartenlaube nieder, auf deren Schindeldache der buntübermalte hölzerne Cupido bereits Pfeil und Bogen eingebüßt hatte. Hier wurde mit hergebrachten Späßen und Neckereien gegen die Damen scharmütziert, hier wurde viel Kaffee getrunken, sehr viel Tabak verraucht und dabei von den Getreidepreisen, von dem zu verhoffenden Erntewetter, von Prozessen und schweren Abgaben verhandelt; während die ungezogenen kleinen Schloßjunker auf dem Kirschbaum saßen und mit den Kernen nach ihren gelangweilten Schwestern feuerten, die über den Gartenzaun ins Land schauten, ob nicht der Federbusch eines insgeheim erwarteten Reiteroffiziers der nahen Garnison aus dem fernen Grün emportauche. Und dazwischen tönte vom Hofe herüber immerfort der Lärm der Sperlinge, die sich in der Linde tummelten, das Gollern der Truthähne, der einförmige Takt der Drescher und all jene wunderliche Musik des ländlichen Stillebens, die den Landbürtigen in der Fremde, wie das Alphorn den Schweizer, oft unversehens in Heimweh versenkt. In den Tälern unten aber schlugen die Kornfelder leise Wellen, überall eine fast unheimlich schwüle Gewitterstille, und niemand merkte oder beachtete es, daß das Wetter von Westen bereits aufstieg und einzelne Blitze schon über dem dunklen Waldeskranze prophetisch hin und her zuckten.

Man sieht, das Ganze war ein etwas ins Derbe gefertigtes Idyll, nicht von Geßner, sondern etwa wie das «Nußkernen» vom Maler Müller. Da fehlte es nicht an manchem höchst ergötzlichen Junker Tobias oder Junker Christoph von Bleichenwang, aber ebensowenig auch an tüchtigen Charakteren und patriarchalischen Zügen. Denn diese Edelleute standen in der Bildung nur wenig über ihren «Untertanen», sie verstanden daher noch das Volk und wurden vom Volke wieder begriffen. Es war zugleich der eigentliche Tummelplatz der jetzt völlig ausgestorbenen Originale, jener halb eigensinnigen, halb humoristischen Ausnahmenaturen, die den stagnierenden Strom des alltäglichen Philisteriums mit großem Geräusch in Bewegung setzten, indem sie, gleich wilden Hummeln, das konventionelle Spinnengewebe beständig durchbrachen. Unter ihnen sah man noch häufig bramarbasierende Haudegen des Siebenjährigen Krieges und wieder andre, die mit einer unnachahmlich lächerlichen Manneswürde von einer gewissen Biderbigkeit Profession machten. Die fruchtbarsten in diesem Genre aber waren die sogenannten «Krippenreiter», ganz verarmte und verkommene Edelleute, die, wie die alten Schalksnarren, von Schloß zu Schloß ritten und, als Erholung von dem ewigen Einerlei, überall willkommen waren. Sie waren zugleich Urheber und Zielscheibe der tollsten Schwänke, Maskeraden und Mystifikationen, denn sie hatten, wie Falstaff, die Gabe, nicht nur selbst witzig zu sein, sondern auch bei anderen Witz zu erzeugen...

GIUSEPPE MAROTTA

Der Smaragdring

Es war just im März, ich weiß nicht welchen Jahres, als der Vico Lungo di Sant' Agostino degli Scalzi weinend und lachend die Aufregung um den Smaragdring erlebte; zwischen Regen und Sonnenschein, zwischen dem Ja und dem Nein des flatterhaften Frühlingshimmels vermißte Donna Sofia Pugliese unerklärlicherweise ihren Smaragdring.

Weiß der Teufel, wohin das widerborstige Schmuckstück geraten sein mochte; befand es sich in der Pizza, oder nicht? Eben darum handelt es sich; das bedeutet, daß wir uns sogleich mit Don Rosario Pugliese als Unternehmer und als Mann beschäftigen müssen.

Am frühen Morgen jedes Donnerstags und jedes Samstags erschien Don Rosario Pugliese auf der Türschwelle seines Basso. Er hatte einen großen Maroni-Bratofen unter dem Arm, den er wie einen Thronsessel mit abgemessenen harmonischen Beugungen seines rundlichen Körpers stets auf der gleichen Stelle des unebenen Pflasters zurechtrückte. Währenddessen reichten ihm die weißen Arme seiner Gattin aus dem Innern der Behausung heraus einen kleinen Tisch, der mit einem etwas weniger blütenweißen und glatten Tuch bedeckt war. Eine mächtige Bratpfanne, die Ölflaschen, der Korb mit Quarkkäse, die Salz- und Pfefferbüchsen, ein speckiges Heft und ein Bleistift, den Don Rosario, nachdem er die Spitze geprüft hatte, sich hinters Ohr klemmte, vervollständigten die Ausstattung. Schließlich erschien Donna Sofia ihrerseits auf der Gasse, und auf einen zweiten Tisch stellte sie den Teig aus blütenweißem Mehl, den sie während der Nacht angerichtet hatte und der zur Verwendung bereit war.

Die Signora Pugliese war eine kompakte Frau, gegen dreißig, blond und gelockt; über der schmalen Taille schien die großzügige Büste sich schwebend zu halten, während die ausladenden Hüften den Eindruck verstärkten, daß Donna Sofias Reize an einem Faden hingen. Es war ein Wunder der Statik, diese Schönheit der Signora, das vielleicht ein männlicher, gutangebrachter Seufzer unterbrechen konnte, erst recht eine unvermittelte Liebkosung, wenn überschäumende Lebensgeister in den Frauen gären, wenn die Blicke und Worte der Männer sie in ihrer eingewurzelten Sicherheit erschüttern.

Lassen wir diese allgemeinen Betrachtungen und kommen zur Gegenwart, in der jetzt Don Rosario das Feuer entfacht hat und funkenumsprüht vor sich hinsingt, um die Stimme zu versuchen. Der Vico Lungo di Sant' Agostino wacht auf, unbewußt erregt durch den Duft des brutzelnden Öls, der der Pfanne entsteigt; in einer Minute wird es übrigens zu spät sein für alle, die diesen öldunstigen Herausforderungen zu widerstehen vermeinten, denn Don Rosario wird mit Stentorstimme die Anpreisung seines raffinierten Unternehmens beginnen, das auf der seltsamen Symbiose von Ölbraterei und Bankgeschäft beruht.

Haben Sie begriffen, daß es sich um «Pizze auf acht Tage» handelt?

Da ist schon der erste Kunde, in Gestalt des Nachtwächters Don Amedeo Cafiero. Vermutlich ist der Schlaf ihm schon mehrmals hold gewesen, während er an diesen oder jenen Rolladen gelehnt dastand: taufrisch und lächelnd taucht er genießerisch in den Qualm von Kohle und Öl hinein, erhält zwei knusprige Pizze in dickes saugfähiges Papier gewickelt, und geht, die eine anbeißend, davon. Don Rosario befeuchtet mit Spucke die Spitze seines Bleistifts: «Nachtwächter Cafiero zwei Pizze» trägt er mühsam in sein Heft ein. Mit einem Wort, diese Pizze, gefüllt mit dem schmelzenden Quark, der Ricotta, und durchaus nicht ohne jegliches Bröckelchen Schinken, sind erst in acht Tagen zu bezahlen. Machen Sie sich klar, wie dies den Konsumenten ermutigt, anstachelt und zum Entschlusse drängt. Vieles kann in acht Tagen geschehen, möglicherweise kann der Ölbrater sogar sterben, ohne Erben. Aus diesem und aus anderen Gründen, die vom Himmel und von den

Steinen, aus denen Neapel erbaut ist, nicht zu trennen sind, kann es geschehen, daß Mägen von ganz geringer Fassungskraft für bei Empfang zu zahlende Speisen sich imstande erweisen, eine eindrucksvolle Anzahl von Pizze *auf Frist* aufzunehmen, zum offenbaren Vorteil unseres Don Rosario, der jetzt seiner Frau einen halben Blick zuwirft und siegesbewußt hinüberruft: «Bitte die Produktion zu intensivieren.»

Die milchigen Hände Donna Sofias walzen mit kleinen Schlägen den willfährigen Teig aus: heiße Laute sind hörbar, bald zu einem Wispern gedämpft, guttural möchte ich sagen, bald entschieden und voll und sinnlich, so daß die Schnurrbärte der Kunden, die auf ihre Pizze warten, wie Antennen erbeben, worüber man besser nicht weiter nachdenkt, wenn man gleichzeitig die Signora Pugliese betrachtet. In der Pfanne erschauern die Kuchen und nehmen, indes der Löffel sie wissenschaftlich-gründlich mit qualmendem Öl begießt, eine blonde Tönung an wie die Achselhöhlen Donna Sofias. Die Männer essen für vier und starren für fünfzig; Don Rosario frohlockt und leidet, denn die Eifersucht nagt an ihm dort, wo er am fetthaltigsten ist, an den weichsten und empfindlichsten Stellen seiner trägen Seele. Er schielt nach dem Smaragdring am Finger seiner Frau, und die grüne Osteria in Resina, in der sich ihre bescheidene Hochzeitsfeier abgespielt hatte, segelt durch die

Luft in halber Höhe auf ihn zu, mit ihrem wie ein Baldachin schwankenden Laubengang über der wirren Anhäufung von Tagen und Jahren, die seither verflossen sind.

Sie hatten vor vier Jahren geheiratet. Seit damals neigte Don Rosario zu Fettbauch und Friedfertigkeit. Sie hatte sich unerklärlicherweise an diese breite gutmütige Brust zärtlich gewöhnt, an dieses ergebene bedächtige Lächeln, an sein wenig stürmisches Begehren; ja auch in den intimsten Erwartungen Donna Sofias blieb er stets ein Mann mit Rückenlehne und Armstützen. Eben in jener Osteria in Resina hatte es Don Rosario, nachdem er ihr den von seiner Mutter geerbten Smaragdring an den Finger gesteckt hatte, mit der Angst bekommen. Ihm unbekannte Stammkunden der Schenke hatten sich, als es bereits spät war, ungebeten zu ihnen gesellt, um die junge Frau zu feiern; unter ihnen tat sich ein junger Schiffszimmermann hervor. Als Don Rosario von der Erkenntnis überwältigt wurde, daß man niemandem erlauben dürfe, seine Frau so anzuschauen, wie jener sie ansah, erhob er sich trüben Sinnes und ging in den Garten hinaus. An den Brunnen gelehnt, sann er nach und rauchte; das tiefe, rasch begreifende Wasser nahm lächelnd seine Seufzer entgegen.

Nachts, am Busen seines Weibes, begann er plötzlich zu weinen. «Was hab' ich dir denn getan?» fragte sie mütterlich tröstend, und Don Rosario mußte sie gewaltsam daran hindern, das Licht anzuzünden und festzustellen, daß sie zu schön für ihn sei.

Wie viele Männer sahen sie seit jenem Tage so an, wie es der Schiffszimmerer getan hatte? Drei Jahre später, als Don Rosario bereits die zwei Zentner erreicht hatte und deswegen immer weniger zu einer Tragödie aufgelegt war, begannen anonyme Briefe einzutreffen. Unterschiedlich im Stil und im Grade der Bosheit, deuteten sie im übrigen alle auf das gleiche Individuum und das gleiche Haus. Genau nach dem fünfzehnten dieser Briefe stellte sich jener Märzmorgen ein, von dem ich eingangs sprach. Eine ungewöhnlich hohe Zahl von Pizze war ausgeteilt worden, und das Ehepaar Pugliese war gerade dabei, Ofen und Tischchen ins Haus zurückzutragen, als Don Rosario aufschrie: «Jesus, Maria, und der Ring?»

Donna Sofia schrak zusammen, als ihre Gedanken blitzartig zu dem blauen Marmor des Nachttischchens zurückflogen, wo sie am Abend zuvor das Schmuckstück vergessen hatte. «Er muß mir abgegangen sein, als ich den Teig walzte», sagte sie als erstbeste Ausrede. «Ach, Rosario, er muß in irgendeiner Pizza stecken.»

Die «Pizze auf acht Tage» haben gegenüber jeder anderen aus einer Pfanne in die Welt verteilten Köstlichkeit den Vorteil, nominal zu sein. Nun war Don Rosario nicht nur träge, sondern auch geizig. Einige Minuten lang lag er in einem Sessel, bemitleidet von zahllosen aufgelöst lärmenden Frauen und willig mit einem beginnenden Schlaganfall kämpfend; plötzlich sprang er auf die Füße, packte mit einer Hand seine Frau am Handgelenk, mit der anderen das fettige Betriebshauptbuch und lief davon.

Endlich einmal fühlte sich Donna Sofia, ganz ausnahmsweise, an der Seite eines wirklichen Mannes. Unterlag sie diesem ungewohnten Zauber? Jedenfalls folgte sie ihm, den Vorgeschmack der Tragödie nach Frauenart genießend, sich bleich und verstört vorkommend, ihr üppiger Busen ließ deutlich den Alarm erkennen.

Basso um Basso, Laden um Laden, besuchte Don Rosario die heutigen Erwerber seiner Pizze. Es waren kleine Handwerker aller Art, Schneiderinnen, Handschuhmacherinnen, vielbeschäftigte Hausfrauen aus dem Volk. Jeder von ihnen konnte den Ring gefunden haben; vor jedem von ihnen baute Don Rosario sich auf, drohend, ohne ein Wort zu sprechen. Seine wutfunkelnden Pupillen durchbohrten den etwaigen Täter, unterwarfen ihn einer wahren Untersuchung mit Röntgenstrahlen. Danach begann Don Rosario das Verhör mit ironischen, boshaften Anspielungen. Nichts Neues? Hatte die Pizza auch diesmal dem Kunden geschmeckt? Mehr der Teig oder die Füllung? Verständlicherweise begann das heiße südländische

Blut der Befragten alsbald zu kochen: «Don Rosario, Ihr müßt Euch jetzt näher erklären», ließen sich der Schuster, der Goldschmied, der Nachtwächter deutlich vernehmen und erhoben sich mit betonter Langsamkeit.

«Hier steht geschrieben, daß Ihr fünf Pizze bekommen habt, also habt Ihr fünf Wahrscheinlichkeiten», erwiderte rätselhaft der gepeinigte Ölbrater, schwenkte das Heft hin und her und machte sich auf den Weg zum nächsten Haus.

Ein ernster Zwischenfall schien sich im Laden eines Obstverkäufers anzulassen, dessen von heftigem Zahnweh geschwollenes Gesicht den Verdacht Don Rosarios erregte.

«Ein Edelstein, ein Smaragd ist dazu hart genug», schrie er, zu offener Beschuldigung übergehend.

Der aufgebrachte Obsthändler stürzte vorwärts, ohne sich zu erinnern, daß er einen Stuhl unter sich hatte; er sah aus wie der Baron Münchhausen auf der Kanonenkugel.

Das Gerücht, Don Rosario sei verrückt geworden, fand viel Zustimmung unter der Menschenmenge, die hinter ihm drein ging. Unter leidvollem Beistand lief er bis zum Sinken der Sonne durch die Gassen. Dann, gegen Abend, fühlte er, wie der Arm seiner Frau, den er noch immer umklammert hielt, zu zittern begann.

Unter der Tür eines prunkvollen Basso, der in

all den seit einiger Zeit erhaltenen anonymen Brie-
fen vorkam, erblickte der unglückliche Ölbrater
den Don Alfredo Guarino. Dessen Familienstand
und Beruf sind ohne Bedeutung; er war ein junger
Geck, der mit überlegener Gleichgültigkeit einen
Anzug von theatralischer Farbe und Musterung
zur Schau trug und Donna Sofia einen heimlichen
bedeutungsvollen Blick zuwarf.

«Um Himmels willen, Don Alfredo», sagte die
Signora Pugliese, sich von ihrem Mann ein wenig
loslösend, «haben Sie in den Pizze heute morgen
nicht zufällig meinen Ring gefunden?»

Unter den Tränen, die die Pupillen der kompak-
ten Blondine verschleiern, kommt und geht ein
verschmitztes Leuchten, wie es eben am wolken-
bedeckten Himmel auch die sinkende Märzsonne
macht. Der grüne Ring kommt galant aus Don
Alfredos Tasche zum Vorschein und wird in die
weißen Hände seiner Eigentümerin zurückgelegt,
unter dem Beifall einer Menschenansammlung, die
fest vom glücklichen Ausgang aller Dinge überzeugt ist. Nur daß die zwei Zentner Don Rosarios
auf ihren Grundstützen ins Wanken geraten. Er
durchblättert fieberhaft sein Heft und erklärt, daß
hierin Don Alfredo mit keiner einzigen Pizza ver-
zeichnet ist.

«Sie irren. Ich habe vier genommen und berufe
mich dabei auf die Signora», erwidert der gewand-
te junge Mann und bekundet weiter seinen

Wunsch, zu zahlen, damit Don Rosario nicht gezwungen sei, in einer Woche zum Kassieren nochmals vorbeizukommen.

Das ist ein in den Annalen der *Pizze auf acht Tage* völlig neues Vorkommnis; Don Alfredo Guarinos Volkstümlichkeit hat dadurch zugenommen: in diesem Augenblick könnte er seine Kandidatur als Abgeordneter vorschlagen, wenn er wollte. Verblüfft betrachtet Don Rosario die Menschenmenge und erkennt sie jeder anderen Lösung des Zwischenfalles abgeneigt: bereits sind die Herolde abgegangen, um diese Fassung der Begebenheiten zu verbreiten, und dem Ehepaar Pugliese bleibt nichts übrig, als nach Hause zu ziehen.

Heute nacht ist der Vico Lungo di Sant' Agostino degli Scalzi ein einziges Gewisper. Es regnet im übrigen. In ihrem Ehebett schläft Donna Sofia, oder doch beinahe: der eine ihrer holden Unterarme ruht außerhalb der Kissen. An dem mehlbestäubten kleinen Tisch sitzt Don Rosario und durchblättert immer wieder sein Betriebsbuch. «Er steht und er steht nicht da», seufzt er; und ich weiß nicht, wie viele anonyme Briefe gleichzeitig ihn schmerzen, an der empfindlichsten Stelle seiner trägen Seele. Es ist schwer für einen so umfangreichen Mann zu verstehen, weshalb Schönheiten wie die Donna Sofias wirklich an einem Faden hängen. Er öffnet vorsichtig die Tür zur Gasse und schaut fragend in den sanften glatten

Regen, den der Himmel nicht herabstürzt, sondern auf der schlafenden Gasse niederlegt. Wie friedlich alles ist!

BERNARD CRONIN

Unglücks-Jo

Jo Asgard war ein kleiner Mann und sehr tätig. Wie die meisten Schweden in den Holzfäller-kamps hatte er stets einen kahlrasierten Kopf, und sein Schädel war von Sonne und Wind rauh und rot geworden. Er hatte dicke, sandfarbene Augenbrauen und unter jedem Ohr ein Haarbüschel von der gleichen Farbe. Seine Augen waren blau, und die Backenknochen saßen hoch und glänzten. Er war ein stiller Mensch. Die Dreißig hatte er hinter sich, und er war mit der ältesten Tochter einer dänischen Familie verheiratet, die sich in Trowutta angesiedelt hatte, als Pachtmelker.

Bis sich eine Reihe von Unglücksfällen ereigneten, die Jo schließlich als Paria brandmarkten, war er einer der tüchtigsten Kanthaken-Männer im großen nordwestlichen tasmanischen Forst. Die Aufgabe eines Kanthaken-Mannes ist es, die Lage der Stämme in ihrem ursprünglichen chaotischen Durcheinander im wuchernden Busch zu bestimmen und dann das Kabel zu befestigen, an dem sie mit einem einzigen scharfen Ruck ins Freie gehievt werden. Jo kannte bis auf Haaresbreite genau den Schwerpunkt, wo die Spitze des großen Stahlhakens in umklammerndem Griff durch einen Hieb mit dem Axtrücken hineingejagt werden mußte, ehe das Kabel sich straffte.

Es sah einfach aus, war es aber nicht. Der Kanthaken-Mann lebt im Schatten ständiger Gefahr. Ein brechendes Kettenglied, das der Frost brüchig gemacht hat, oder ein sich lösender Klammerhaken konnten ein gebrochenes Glied oder eine gebrochene Wirbelsäule bedeuten. Jo wußte, wann er bleiben – und wann er springen mußte. Es war eher Intuition als Wissen. Entweder man hatte es, oder man hatte es nicht. Jo handhabe die Kette oder das Drahtseil, als ob er damit auf die Welt gekommen wäre.

Als sich der erste Unfall ereignete, hatte Jo keinerlei aktiven Anteil daran. Eine Strähne des Drahtseils zerriß und räufelte sich auf, und dann riß das ganze Drahtseil. Ein Bursche namens Peter Moss war auf dem Weg zum Kamp, um sich einen neuen Griff für seine Axt zu besorgen, und als er vorbeikam, peitschte das gerade berstende Drahtseil im Rückprall auf ihn ein und schnitt ihn buchstäblich in zwei Stücke. Jo stand zufällig nicht weit von Moss, aber doch außerhalb der Flugbahn.

Das hatte natürlich nichts zu sagen. Doch als einen Monat drauf Jack Emery, der Gehilfe des Aufsehers, von einem fliegenden Hammerkopf getötet wurde und Jo neben ihm stand, da erinnerten sich die Männer ans erste Mal und begannen ihn ein wenig schief anzublicken. Und dann geschah es wieder. Der Wasserjunge, der zum Bach gelaufen war, um Wasser für die Elf-Uhr-Pause zu holen, stolperte über eine Schlingpflanze und fiel hin. Er brach sich das rechte Bein an zwei Stellen. Jo Asgard sah es und hob ihn auf.

Am Abend wurde er entlassen. Der Aufseher sagte ihm nicht, warum, und Jo fragte ihn nicht. Es war nicht nötig. Beide Männer waren verlegen. Sie gaben sich die Hand, und Jo raffte seine paar Sachen zusammen und zog weiter, auf der Suche nach einem andern Kamp. Kopfschüttelnd ging er weg, als könne er nicht begreifen, was geschehen war.

Der Mann an der Dampfwinde, der ein Ire war, sagte zu ihm, vielleicht sei er auf die Heinzelmännchen getreten, als sie spielten. Die Heinzelmännchen seien rachsüchtig, sagte er, und ließen einen nicht in Frieden, wenn man mal ihren Unwillen erregt hätte.

Jo bekam einen Posten bei den Grahams, die einen Bestand Selleriekiefern rodeten. Am ersten Tag verlor Bill Graham zwei Finger, weil er das Nachgeben eines Sägeschnitts falsch berechnet hatte. Bis ein Keil hineingetrieben wurde, um den Druck zu verringern, waren Bills Finger zu Brei gequetscht.

Graham wollte keine Vernunft annehmen und kündigte Jo mit einer Woche Gehalt im voraus. Er sagte ihm, je eher er sich von dannen mache, um so lieber sei es ihm.

Jo ging also wieder auf die Suche. Seine Schultern begannen ein wenig vornüberzusacken, und seine blauen Augen schienen irgendwie verschleiert. Er ging heim, nach Trowutta, und besprach es mit seiner Frau. Sie war eine verständige Frau und erklärte, wie lächerlich es sei, Jo eine Kette von Unfällen zur Last zu legen. Sie wußte nichts vom Aberglauben im Busch. Sie konnte nur sehr wenig Englisch, und Jo konnte nur sehr wenig Schwedisch und überhaupt kein Dänisch. Er war in Schweden geboren worden, kam aber nach Tasmanien, als er gerade eben laufen konnte. Die Sprache, die zwischen Jo und Hedda gang und gäbe war, hieß Zuneigung. Doch was für die Liebe ausreicht, genügt nicht für eine logische Auseinandersetzung. Deshalb ließ Jo es fallen und sprach vom Baby, das sie erwarteten. Das war ein Thema, das sie beide verstanden.

Der alte Saul Ribash, der einen Kontrakt hatte, um durch Archers Sumpf einen Knüppeldamm zu bauen, hörte von Jos Stellenlosigkeit und ließ ihn zu sich kommen. Ribash suchte einen Kanthaken-

Mann, der sich nicht jede zweite Nacht betrank und ihn einen Judensohn schimpfte. Ribash glaubte nicht an Glück oder Unglück. Die Dinge ereigneten sich eben, so oder so, und niemals wiederholte sich etwas. Ribash hatte von dem Voodoo gehört, das auf Jo Asgard lag, wie es jedermann längs des Waldgürtels gehört hatte, aber er lachte nur darüber. Ribash war ein mächtiger Kerl, und sein Lachen war ein mächtiges Lachen. Es entstand tief unten in seinem Magen, und dann mußte er mit weit offenem Mund losbrüllen.

Bei Jo hätte es an nichts anderem gelegen als am Zufall, erklärte Ribash. Er liebte es sehr, alles dem Zufall zuzuschreiben. Zufall war sein Lieblingswort.

Er war sehr für Statistik und Berechnung in Prozenten, und nun bewies er allen, die Möglichkeit eines Unfalls, wenn Jo sich in der Nähe befinde, sei eins zu zehntausend. Er nahm eine Holzfällerkreide und schrieb die Zahlen auf ein Brettchen, so daß es jeder lesen konnte. Die Männer sagten nicht viel dagegen, denn sie hatten Angst, Ribash könne ihnen etwas antun. Er war so stark wie drei von ihnen. Außerdem war er der Boss. Jo aber wurde wieder fröhlich. Er dachte, Ribash könne recht haben, und all sein Unglück sei nur dummer Zufall. Doch trotzdem war er besonders vorsichtig. Er hielt sich von den andern Männern fern – sosehr er nur konne – und zeigte überhaupt kein

Interesse an jenem Teil der Arbeit, den sie aus-
führten, nur an seinem eigenen.

Als die Tage verstrichen, begann er sein Selbstvertrauen wiederzugewinnen. Er hatte seinen
Kanthaken schon beinahe im Holz, sobald die
Kette nach unten kam, und die Stämme gingen in
gleichmäßigem Fluß hinaus. Nach vierzehn Tagen
trat Ribash zu Jo und schüttelte ihm die Hand.

«Na, sehn Sie wohl», sagte er zu Jo. «Hab' ich's
Ihnen nicht erklärt? Ein Zufall ist ein Zufall. Es ist
alles eine Frage der Mathematik. Mal passiert was,
und dann passiert wieder nichts.»

Er grinste Jo an, und Jo grinste auch. Zum erstenmal seit Monaten war er glücklich. Es war ein
Samstagnachmittag, und das Kamp war beinah
verödet. Einige von den Männern lagen auf ihren
Pritschen und ruhten sich aus, doch die meisten
waren zu der Kneipe gegangen, in der heimlich
Grog ausgeschenkt wurde. Ribashs junge Frau
war im Buschwägelchen angekommen, um ihren
Mann für das Wochenende nach Hause zu holen.
Die Ribashs wohnten außerhalb von Green Point,
etwa zehn Meilen südlich hinter der Knopfgras-
ebene.

Mrs. Ribash hatte ihr Töchterchen mitgebracht.
Während Ribash aufräumte, wanderte das Kind
umher und kam dorthin, wo Jo saß und seine Le-
dergamaschen mit Känguruhsehnen ausbesserte.
Jo hatte Kinder gern. Er konnte mit ihnen umge-

hen. Er erzählte der Kleinen ein Märchen von Andersen, bis Mrs. Ribash kam, um sie zu holen. Ribash trat aus dem Zelt hervor, herausstaffiert und blankgewaschen, und ging dorthin, wo Pferd und Wagen warteten. Das kleine Mädchen lief seiner Mutter entgegen.

Trockenes Holz läßt immer vorher ein warnendes Geräusch hören, wenn's auch noch so geringfügig ist; aber ein Ast, der sich nach mehreren Wintern voll Wasser gesogen hat, kennt solch Mitleid nicht. Hoch oben löste sich der Ast eines Eukalyptus aus der Gabel und fiel, sich überschlagend, nach unten. Ribash sah ihn fallen und taumelte zurück, die Hand über den Augen. Jo Asgard stand wie gelähmt. Wie durch ein Wunder fiel der schwere Ast nicht auf Mutter und Kind, sondern daneben. Trotzdem: der Tod war nahe gewesen.

Mrs. Ribashs Schrei hatte die Männer von ihren Pritschen nach draußen getrieben. Ribash sah, daß Frau und Kind unverletzt waren. Zorn war die unvermeidliche Reaktion. Brüllend stürmte er auf Jo Asgard los.

Jo rannte. Ribash war verrückt, regelrecht verrückt. Jo rannte, daß ihm der Wind um die Ohren pfiff und das Blut in den Augenhöhlen pochte. Sein Gesicht sah zerfallen aus. Der Atem kam keuchend und entfloh in Stößen. Er rannte, bis er erschöpft niederfiel. Die Furcht spülte über ihn hinweg und verschwand. Eine Leere entstand. Er legte den Kopf auf die Arme und begann zu weinen.

Damit war es vorbei mit Jos Arbeit im Forst. Er wurde ein Paria. Das Wunderliche an der Geschichte war, daß die Leute ihn gern hatten. Jedermann hatte ihn gern. Aber sie fürchteten ihn auch, und Furcht ist stärker als Zuneigung. Nur Hedda hielt zu ihm. Jo hatte ein bißchen Geld gespart, also würden sie in der nächsten Zeit nicht gerade Hunger leiden.

Während den ersten Wochen saß Jo zu Hause und hatte den Kopf in den Händen vergraben. Entweder fühlte er sich krank und niedergeschlagen, oder der Zorn tobte in ihm. Er wäre am liebsten fortgelaufen, um sich zu betrinken und zu fluchen und etwas zu zerbrechen, doch dann dachte er an Hedda und an das Kind, das sie erwartete, und er wurde ruhig. Nach einiger Zeit spürte er, wie die Krankheit ihn verließ. Er wurde ruhelos. Er war ein tätiger Mann, und er konnte es nicht ertragen, lange müßig zu sein. Daher ließ er sich Montag morgens von Hedda ein Eßpaket zurechtmachen und ging dem Waldgürtel entlang, auf der Suche nach neuen Beständen, die er in den Sägemühlen verkaufen konnte, oder er ging an die Bäche und begann ein wenig zu schürfen. Die Leute grüßten ihn – aber das war auch alles. Sie hatten zuviel Angst vor ihm, um ihn zu einem

Schluck Tee einzuladen und dadurch in seine Nähe zu geraten.

So stand es am Ende des folgenden Sommers. Durch das Hinterland wurde eine neue Regierungsstraße gerodet, und der Auftrag war in zwei Abschnitten vergeben worden. Ribash hatte die Strecke von der Ebene bis zum Fünf-Meilen-Pfosten, und die Gebrüder Graham übernahmen den Rest der Strecke bis zur fertigen Straße in Red Flag. Auf Verabredung hin begannen die Unternehmer die Arbeiten an den äußersten Enden, damit sie sich schließlich in der Mitte, am Fünf-Meilen-Pfosten, treffen könnten.

Es war Ribashs Einfall, daß die Gruppen einander entgegenarbeiten sollten, denn wenn eine von beiden nachhinkte, konnte die andere Gruppe einspringen und der Termin doch eingehalten werden. Es war eine kluge Überlegung, denn der Winter war sehr schlimm gewesen, und die emsig arbeitenden Gruppen hatten nur noch einen Monat vor sich, waren aber noch eine halbe Meile voneinander getrennt. Sie hatten um Fristerstreckung gebeten, waren jedoch abschlägig beschieden worden. Jeder Tag über die vorgeschriebene Zeit kostete fünfzig Pfund Strafe.

Zu Beginn der letzten Woche vermischten sich die beiden Arbeitsgruppen. Um Zeit zu sparen, hatten die Grahams den Abfall auf ihrer Seite vom Pfosten zu einem einzigen riesigen Scheiterhaufen aufgestapelt. Er sah genauso aus wie das, was er war: ein wackliger Berg aus geraden und krummen Stämmen, die eher infolge glücklicher Umstände als infolge einer gescheiten Anordnung zusammenhielten.

Rufe Spinks hatte den Unterkontrakt für die Karren und Räumeisen. Er war knauserig und geizig. Er beeilte sich nicht, sondern verbrachte den größten Teil der Zeit damit, seine Leute mit argwöhnischen, rotgeränderten Augen zu bewachen und aufzupassen, daß sie ihm nicht die Löcher aus dem Zaumzeug stahlen. Eines Nachmittags hielt er im Schatten des großen Scheiterhaufens ein Nickerchen, als sich plötzlich ein paar von den obersten Kloben lösten. Er wurde weder zermalmt noch verletzt, sondern einfach gründlich festgeklemmt. Nur Kopf und Schultern waren zu sehen; sein rotes, staunendes Gesicht lag im hartgebackenen Schlamm, die Augen glotzten, und der Schopf schaute schräg heraus, wie ein grauer Schwamm.

Die Arbeitergruppen, die durch die Pfeife des Mannes an der Dampfwinde herbeigerufen worden waren, konnten nur untätig und hilflos danebenstehen. Auf halber Höhe hatte sich ein tragender Stamm gelockert und ragte jetzt aus dem Haufen hervor; es fehlte nur eine Kleinigkeit, und der ganze Stoß hätte sich wie ein Bergrutsch in Bewegung gesetzt. Nicht ein einziger von den Kanthaken-Männern wagte es, den tragenden Stamm wieder hineinzustoßen. Rufe war zu sehr gefährdet.

Dann sprach es sich herum, daß Jo Asgard unten am Graben kampiere, und ein Dutzend Männer liefen hin, um ihn zu holen. Er war bestürzt und protestierte zornig. Genügte es nicht, daß ihm alle Männer wie einem räudigen Hund aus dem Weg gingen, obwohl er gar keine Schuld hatte? Sollte er jetzt auch noch die Schuld auf sich nehmen, wenn Rufe Spinks verunglückte? Er wollte nichts damit zu tun haben. Es war nicht fair. Er befreite sich von den Händen der ihm Zuredenden und ging bis ans Ende des Scheiterhaufens, wo Rufe Spinks lag. Der alte Mann ächzte vor Entsetzen. Seine Augen schienen Jo anzuflehen. Jo machte eine rührende kleine Handbewegung und gab nach. Es war nicht gerecht, aber er sah nicht, wie er sich anstandshalber davor drücken konnte. Jemand mußte den Tragstamm wieder in seine Keilstellung zurückbefördern, sonst war Rufes Leben nicht mehr wert als sein schmutziger, geiziger, schnüffelnder alter Kadaver. Jo wandte sich an die ihn beobachtenden Männer und schnellte Befehle hervor – mit all seiner alten, überzeugenden Autorität.

Er kannte seine Leute. Unter der Flut seiner Verwünschungen traten sie leise wie die Katzen auf. Ein Dutzend Pfähle beförderten die Ketten über den Scheiterhaufen und zu Jo hinauf, der auf halber Höhe balancierte. Ein Zoll zu weit nach rechts oder ein Zoll zu weit nach links: das Potential hing von einer Haaresbreite ab. Jos geübtes Auge tastete sich an der Walze des zitternden Stammes entlang, bis seine Intuition ihm untrüglich Halt gebot. Er hielt den schweren Kanthaken mit beiden Händen an Ort und Stelle, seufzte tief und gab das Signal. Die Kette straffte sich so elegant, als ob sie ein Seil aus Öl wäre. Der Haken biß zu – und plötzlich war das Wunder geschehen. Der riesige Holzschinken schwenkte um und sank auf seinen Platz. Der ganze Scheiterhaufen erbebte, und das Holz kam knarrend zum Stillstand . . .

Saul Ribash hatte sein breites Lachen aufgesetzt und schob sich durch die lärmende Menge zu Jo vor, der matt auf der Erde saß. Er schrie: «Hab' ich's dir nicht immer gesagt: Es kann so kommen oder es kann anders kommen, aber nie kommt's genau gleich. Hab' ich dir nicht gesagt, daß man's nach dem Gesetz des Durchschnitts immer berechnen kann? Sieh mal . . . ich kann's dir schwarz auf weiß beweisen . . .»

Die Männer klopften Jo auf den Rücken, aber Ribash stieß sie beiseite. Er nahm ein Brettchen auf und holte seine Holzfällerkreide hervor. Er sagte: «Sieh her, Jo . . .»

Jo grinste. Er blickte sich im Kreis freundlicher Gesichter um, und das Herz wurde ihm weit. Sein Glück war wieder an Ort und Stelle gerutscht –

genau wie der Tragstamm. Alles würde wieder klappen – von jetzt an.

«Du weißt doch, Jo», sagte Ribash verächtlich, «ich hab' nie was auf den Unsinn gegeben, daß du Unglück bringst...»

PEARL S. BUCK

Hok Lee und die Zwerge

In einer kleinen chinesischen Stadt lebte einst ein Mann namens Hok Lee. Er war rechtschaffen und fleißig und nicht nur ein tüchtiger Händler, sondern auch zu Hause ein arbeitsamer, stets beschäftigter Mann, denn er hatte weder eine Frau noch eine Haushälterin.

«Was für ein außerordentlich fleißiger Mann ist dieser Hok Lee!» sagten seine Nachbarn. «Wieviel er arbeitet! Nie geht er fort, um sich zu zerstreuen oder Ferien zu machen wie andere.»

Aber Hok Lee war gar nicht so tugendhaft, wie seine Nachbarn glaubten. Er arbeitete zwar wirklich den ganzen Tag über schwer, aber des Nachts, wenn alle ehrlichen Bürger fest schliefen, stahl er sich heimlich aus dem Haus und brach mit einer gefährlichen Räuberbande in den Häusern reicher

Leute ein und trug mit ihnen davon, so viel in ihre Taschen und Hände ging. So lebte er eine ganze Weile, und obgleich hie und da ein Dieb gefaßt und bestraft wurde, fiel auf Hok Lee niemals ein Verdacht, denn er war ja ein sehr ehrenwerter, fleißiger Mann.

Hok Lee hatte schon viel Geld angesammelt von diesen Raubzügen, als es eines Tages geschah, daß ihn ein Nachbar auf dem Markt ansprach: «Ei, Hok Lee, was ist mit Eurer Backe? Euer Gesicht ist ja auf der einen Seite ganz geschwollen!»

In der Tat war Hok Lees rechte Backe zweimal so groß wie seine linke, und sie tat auch weh.

Den Tag darauf wurde es noch schlimmer, und von da an schwoll die Backe jeden Tag weiter an, bis sie schon bald so groß wie sein ganzer Kopf war und ihm viele Schmerzen bereitete. Hok Lee war am Ende seiner Weisheit, er wußte nicht mehr aus und ein. Die Backe war häßlich und schmerzte, die Nachbarn spotteten schon und trieben ihre Späße mit ihm, und das verletzte ihn sehr.

Da wollte der Zufall, daß ein fahrender Arzt durch die Stadt kam. Er verkaufte alle möglichen Arzneien und übte auch seltsamen Zauber gegen Hexen und böse Geister. Hok Lee beschloß, diesen Arzt um Rat zu bitten, darum sandte er nach ihm.

Der Arzt untersuchte ihn genau, dann sagte er: «Dies ist keine gewöhnliche Schwellung, Hok

Lee! Ich befürchte, Ihr habt etwas Böses getan, was Euch den Zorn der Geister zugezogen hat. Da hilft keines meiner Heilmittel, aber wenn Ihr mich entsprechend bezahlen wollt, so will ich Euch verraten, wie Ihr wieder gesund werden könnt.»

Dann fingen Hok Lee und der Arzt miteinander zu handeln an, und es dauerte lange, bis sie eins wurden. Endlich ging der Arzt aus diesem Streit als Sieger hervor, denn er wollte sein Geheimnis nicht unter einem bestimmten Preis verkaufen, und Hok Lee wollte nicht sein Lebtag mit einer so dicken Backe herumlaufen. So ward er nun gezwungen, den größten Teil seiner Diebesbeute wieder herzugeben. Nachdem der Arzt das Geld gezählt und bei sich aufbewahrt hatte, riet er Hok Lee, in der nächsten Vollmondnacht in einen bestimmten Wald zu gehen und dort unter einem bestimmten Baum zu warten. Dort würden bald die Zwerge und Geister aus der Unterwelt erscheinen, um zu tanzen. Und sobald sie ihn erblickten, würden sie dasselbe von ihm verlangen.

«Habt acht, daß Ihr den schönsten Tanz vorführt, welchen Ihr kennt!» fügte der Arzt hinzu. «Wenn Ihr gut tanzt und damit der Zwerge Gefallen erregt, so werden sie Euch einen Wunsch erlauben. Dann könnt Ihr um Heilung Eurer Backe bitten. Tanzt Ihr aber schlecht, so werden sie Euch gewiß aus reiner Bosheit Schaden antun.» Der Arzt verabschiedete sich und zog wieder weiter.

Glücklicherweise war bald darauf Vollmond, und Hok Lee ging zur vorgeschriebenen Zeit in den Wald hinaus. Da fand er gleich den Baum, welchen ihm der Arzt beschrieben, und da er sehr aufgeregt war und auch ein wenig furchtsam, kletterte er in das Geäst. Da sah er auch schon im hellen Mondlicht viele Zwerge aus der Erde strömen, von allen Seiten kamen sie herbei, es waren gewiß Hunderte. Und sie schienen ausgelassen, tanzten und hüpften und sprangen in die Luft, und Hok Lee rutschte neugierig immer weiter nach vorne auf seinem Ast, bis es auf einmal laut knackte. Da standen die Zwerge still, und Hok Lee meinte, auch sein Herz stehe still.

Einer der Zwerge rief: «Da sitzt jemand im Baume. Komm herab, wer du immer bist, komm sogleich herab, oder wir werden dich holen.»

Voll Schrecken beeilte sich Hok Lee, hinunterzusteigen, aber in seiner Verwirrung rutschte er und rollte den Zwergen vor die Füße. Als er sich wieder aufgerichtet hatte, verbeugte er sich tief, und der Anführer der Zwerge, welcher ihn vorher heruntergerufen hatte, sagte: «Nun, wer bist du, und was führt dich hierher?»

Hok Lee erzählte ihm die Geschichte von seiner geschwollenen Backe und daß man ihm geraten habe, in den Wald zu gehen und sich von den Zwergen Heilung zu erbitten.

«Darüber werden wir noch sprechen, aber später erst», erwiderte der Zwerg. «Zuvor mußt du für uns tanzen. Wenn uns dein Tanz gefällt, können wir dir vielleicht helfen, tanzest du aber schlecht, so werden wir dich bestrafen. Laß dir das zur Warnung gesagt sein, und nun beginne!»

Die Zwerge setzten sich in einem großen Ring um Hok Lee, der allein in der Mitte stand und nun tanzen mußte. Aber er fürchtete sich halb zu Tode, und er war auch noch ganz benommen von seinem Sturz. Ach, er fühlte sich kein bißchen zum Tanzen aufgelegt. Aber die Zwerge ließen nicht mit sich spaßen.

«Fang an!» rief ihr Anführer, und «fang an!» schrien alle anderen im Chor.

Voll Verzweiflung begann nun Hok Lee zu tanzen. Erst hüpfte er auf einem Bein, dann auf dem anderen, aber er war so steif und aufgeregt, daß es bei einem kläglichen Versuch blieb und er binnen kurzem zu Boden sank und beteuerte, er könne nicht weitertanzen.

Da wurden die Zwerge zornig, sie drängten sich um ihn und beschimpften ihn. «Um Heilung bist du gekommen, ei ja!» schrien sie. «Mit einer dikken Backe bist du gekommen, aber mit zwei dikken Backen sollst du wieder gehen.» Und damit liefen sie davon und waren nicht mehr zu sehen. Hok Lee wußte kaum, wie er nach Hause finden sollte.

Er humpelte heimwärts, müde und niedergeschlagen und sehr bekümmert wegen der Drohung der Zwerge. Und seine Sorge war nicht unbegründet, denn als er am anderen Morgen aufstand, war seine linke Backe so dick angeschwollen wie seine rechte, und er konnte kaum mehr aus seinen verschwollenen Augen schauen. Hok Lee war verzweifelt, und seine Nachbarn spotteten seiner ärger als zuvor. Der Arzt war längst weitergezogen, es blieb keine andere Hilfe, als es noch einmal mit den Zwergen zu versuchen.

Er wartete einen Monat, bis die nächste Vollmondnacht kam, dann schleppte er sich wieder zu dem Baum in den Wald hinaus und setzte sich unter den Baum, von dem er damals hinuntergefallen war. Er mußte nicht lange warten. Bald kamen wieder von überallher die Zwerge und versammelten sich.

«Ich fühle mich nicht ganz wohl», sprach einer von ihnen. «Mir ist, als sei irgendein schreckliches menschliches Wesen in der Nähe.»

Als Hok Lee das hörte, trat er aus seinem Versteck hervor und verbeugte sich tief bis zur Erde. Die Zwerge kamen näher heran und lachten über sein komisches Aussehen, wie er da stand mit zwei dicken Backen.

«Was willst du denn?» fragten sie ihn.

Hok Lee beeilte sich, ihnen sein neues Unglück eindringlich zu schildern, und bat und flehte, sie möchten ihn noch einmal tanzen lassen. Das erlaubten sie dann auch, denn es gibt nichts, was die Zwerge lieber hätten als Unterhaltung. Diesmal wußte Hok Lee genau, wieviel davon abhing, daß er schön tanzte. Und er faßte Mut und fing an, langsam zuerst, dann immer schneller, und er tanzte so anmutig und erfand so viele neue Schritte und Figuren, daß die Zwerge ganz entzückt waren.

Sie klatschten mit ihren kleinen Händchen und riefen: «Bravo, Hok Lee, bravo! Tanze weiter!»

Und Hok Lee tanzte weiter, bis er wirklich nicht mehr länger tanzen konnte.

Da sagte der Anführer der Zwerge: «Du hast uns viel Freude bereitet mit deinem Tanz, Hok Lee. Und zum Dank dafür soll dein Gesicht geheilt werden. Leb wohl!»

Und damit verschwand er mit seinen Gesellen und ließ Hok Lee zurück, der sich an seine Backen griff und zu seiner großen Freude bemerkte, daß sie wieder ihre natürliche Größe hatten. Wie kurz war da der Heimweg und wie leichtfüßig Hok Lee! Glücklich ging er zu Bett und versprach bei sich, nie mehr zu stehlen.

Am anderen Tag gab es in der ganzen Stadt nur ein Gespräch: daß Hok Lee geheilt war. Seine Nachbarn fragten ihn, aber sie konnten nicht mehr von ihm erfahren, als daß er ein wunderbares Heilmittel gegen alle Gebrechen entdeckt habe.

Nicht lange darnach kam ein reicher Nachbar

zu Hok Lee, der schon seit vielen Jahren krank war, und bot ihm eine große Geldsumme an, wenn er ihm verrate, wie er wieder gesund werden könne. Hok Lee versprach, ihm das Geheimnis zu verraten, unter der Bedingung, daß er es streng für sich behalte. Der kranke Nachbar beschwor dies, und Hok Lee erzählte ihm von den Zwergen und dem Tanz.

Der Nachbar ging und befolgte in allem genau Hok Lees Anweisungen und wurde von den Zwergen geheilt. Da kam noch einer und wieder einer zu Hok Lee, und sie baten ihn um sein Geheimnis, und von jedem erhielt er das Versprechen, daß er schweigen werde, und außerdem eine ansehnliche Geldsumme. So ging es durch viele Jahre, und Hok Lee wurde davon ein reicher Mann, der seine Tage in Frieden und Wohlstand beschließen konnte.

ERNST HEIMERAN

Lieber Besuch

Juni, du schöne Zeit! Hinter unserer großen Buche ging allmorgendlich die Sonne empor und ging spät abends und glühend hinter unserer Föhre unter. Der Mond machte allabendlich in unserm Weiher Toilette, ehe er sich mit gewölbter Brust in Gesellschaft der Sterne begab, deren schönste uns leuchteten. Linde Lüfte besuchten unser Grundstück, strichen mittags kosend die Thujahecke entlang und gaukelten in der Dämmerung in den Haselbüschen, in denen die ersten Glühwürmchen blitzten. Es waren herrliche Tage und strahlende Nächte, wir fühlten uns im Mittelpunkt des Alls.

Doch allmählich begannen wir das schöne Wetter zu fürchten. Können Sie das verstehen? Wir sagten: «Es werden heute doch nicht schon wieder Gäste kommen?»

Gäste werden uns willkommen sein, wenn wir im Schuß, wenn die ruhigen Tage angebrochen sind oder wenn es einsam wird gegen den Herbst, wenn man bei gefüllter Speisekammer gerne ein paar Teller mehr auf den Tisch stellt. Aber so weit waren wir noch nicht, waren noch keineswegs im Schuß, hatten noch viel Arbeit im Hause, aber keine Kartoffeln im Keller und mußten jedes Brot, jeden Salat und jede Flasche Bier eigenhändig vom Ort heraufschleppen. Die Hausfrau war unaufhörlich unterwegs, um einzukaufen, und wenn sie dann eine kleine Pause einschalten wollte, um auch mal das Grundstück zu genießen, klingelte es, und Gäste kamen.

Es klingelte bei uns nicht wie bei andern Leuten an einer elektrischen Glocke – so weit waren wir noch nicht –, sondern an der Ziehglocke. Da das Haus von der Gartentür dreißig Meter entfernt steht, kann man unterwegs sein Gesicht, das zunächst Kummer über die Störung ausdrücken würde, wieder in Ordnung bringen und in freundliche Falten legen, ehe man dem Besuch unter die Augen tritt.

«Wir wollten uns doch einmal umsehen», sagt der Besuch.

«Das ist aber nett», erwidert man und führt ihn herein.

Man führt ihn über den ehemaligen und künftigen Kiesweg, derzeit aber noch Unkrautweg, zum Haus und macht auf den schönen landschaftlichen Blick aufmerksam, der sich hangabwärts bietet. Ein Blick, den uns kein Volk der Erde nachmacht, wie im zuständigen Heimatführer so treffend gesagt wird. Man will den Besuch damit vom Anblick des Hauses ablenken, denn alle unsere Bekannten haben sich unser Landhaus anders vorgestellt, wir selber ja auch!

Dann überlegt man, durch welche Türe man den Besuch ins Haus führen soll. Wir verfügen ja über eine reiche Auswahl von Haustüren, aber keine von allen vermittelt einen günstigen Eindruck von unserem Landsitz. Die nächstliegende wäre die ins Schlafzimmer, aber es ist nicht üblich, Gäste durchs Schlafzimmer einzuführen. Die zweite führt in die Küche. Auch das ist nicht schicklich, ein Haus mit der Küche anzufangen, besonders wenn noch nicht abgespült ist. Die dritte Haustür mündet in den Keller. Außerdem ist ja das Erdgeschoß mit dem ersten Stock nur durch Freitreppen verbunden, so daß man doch nicht darum herum käme, die lieben Gäste so nach oben zu geleiten.

«Dürfen wir gleich da hinauf bitten?» sagen wir deshalb und klettern voran; denn die Treppen sind recht steil und bei schlechtem Wetter nicht ungefährlich.

Bei schönem Wetter geleiten wir die Gäste über die Terrasse oder durch die Veranda ins Atelier. Das Atelier verfehlt nie einen gewissen Eindruck, weil man von einem Atelier weiß, daß darin ungewöhnliche Zustände zu herrschen pflegen: schlechte Fußböden, kostbare Teppiche, gute Bilder, schadhafte Wände, ausschweifende Sitzgelegenheiten, zugige Fenster, verlotterte Wandkamine, eiserne Öfen mit rostigen Rohren. Die Hauptsache an einem Atelier bleibt, daß es groß, hoch und schwer zu heizen ist. Diese Bedingungen sind bei dem unsern erfüllt.

«Das ist ja ein Riesending», sagen unsere Gäste, «eine Mordsbude – von außen denkt man das gar nicht.»

Wir warten nun nicht ab, was unsere Gäste weiter denken würden, sondern lassen sie in der Veranda Platz nehmen und von neuem den Blick bewundern. Wenn er auch keiner von den ganz großartigen See- und Gebirgsblicken ist, wie sie auf Postkarten so häufig angetroffen werden, so können wir uns damit doch sehen lassen. Besonders dann, wenn unser Ausblick zu einem guten Kaffee oder zu einer Flasche Wein, zumal mit Mondaufgang, serviert wird, verstehen unsere Gäste schon besser, wieso wir uns mit einem Jägerhaus eingelassen haben.

«Ich verstehe es allerdings trotzdem nicht», sagt einer unserer Bekannten, «erstens ist es scheußlich, zweitens ist es unpraktisch, und wenn ihr es eines Tages doch wegreißen wollt, habt ihr auf jeden Fall zuviel dafür bezahlt. Entschuldigt schon, aber ich möchte es nicht geschenkt.»

Diesen Bekannten habe ich aus meiner Freundschaftsliste gestrichen, gelöscht, ausradiert – denn sonderbar: wir bemerkten von Tag zu Tag, wie uns das Jägerhaus mehr und mehr ans Herz wuchs.

QUELLENNACHWEIS

An dieser Stelle danken wir den Autoren, Verlagen und Agenturen, die uns freundlicherweise den Nachdruck folgender Beiträge gestatteten: Carl Hanser Verlag, München: *Ernst Heimeran · Lieber Besuch* (aus: «Grundstück gesucht»); Albert Langen – Georg Müller Verlag, München: *Simon Carmiggelt · Ein Stockwerk höher* (aus: «Mach dir nichts draus»); R. Piper Verlag, München: *Ludwig Thoma · Die Eigentumsfanatiker* (aus: «Agricola»); Karl Rauch Verlag, Düsseldorf: *Giuseppe Marotta · Der Smaragdring* (aus: «Das Gold von Neapel»); Rowohlt Verlag, Reinbek-Hamburg: *James Thurber · Die Schlampe und die Überemsige* (aus: «Satiren»); Scherz Verlag, Bern: *Pearl S. Buck · Hok Lee und die Zwerge* (aus: «Am Teich der Lotosblüten»); dem Autor: *Herbert Schmidt-Kaspar · Die Nachbarn hinter der Wand*; Elisabeth Schnack, Zürich: *Bernard Cronin · Unglücks-Jo* (aus: «Australische Erzähler»); Carl Schünemann Verlag, Bremen: *Wilhelm Scharrelmann · Der Bauer und die Magd* (aus: «Katen im Teufelsmoor»).

In jenen Fällen, in denen es nicht möglich war, den Rechtsinhaber resp. Rechtsnachfolger zu eruieren, konnte ausnahmsweise keine Nachdrucksgenehmigung eingeholt werden. Honoraransprüche der Autoren oder ihrer Erben bleiben gewahrt.

KLEINE BETTLEKTÜREN ERFREUEN JEDES HERZ

*Jeder Band als Geschenk ein Kompliment
zum Lesen ein Vergnügen*

Für Menschen mit Liebhabereien

Feinschmecker	Gartenfreunde
Kaffeegenießer	Blumenfreunde
Teetrinker	Katzenfreunde
Weinkenner	Hundefreunde
Pfeifenraucher	Naturfreunde
Eisenbahnfreunde	Pferdefreunde
Vogelfreunde	Fahrradfreunde

Aufmerksamkeiten und herzliches Dankeschön für

Frauen mit Charme	den besten aller Väter
kluge Köpfe	den verständnisvollen Großvater
vielgeplagte Mütter	
unentbehrliche Großmütter	den besten aller Schwiegerväter
die beste aller Schwiegermütter	Strohwitwer
liebenswürdige Gastgeber	nette Nachbarn
	liebevolle Krankenpflege
meine liebe Frau	meinen lieben Mann

Treffliche Breviere für große

Alter-Fritz-Kenner	Liszt-Freunde
Bach-Verehrer	Ludwig II.-Verehrer
Brahms-Verehrer	Morgenstern-Freunde
Beethoven-Bewunderer	Mozart-Verehrer
Wilhelm-Busch-Freunde	Schubert-Freunde
Goethe-Freunde	Wagner-Verehrer
Grimms-Märchen-Leser	Mark-Twain-Freunde

Für unerschrockene Liebhaber von

Gespenstergeschichten	Schauergeschichten
Gruselgeschichten	Vampirgeschichten
Horrorgeschichten	

Herzliche Aufmerksamkeiten

für liebenswerte Geburtstagskinder
für ein glückliches Leben zu zweit
für ein glückliches Leben im Ruhestand
zur Advents- und Weihnachtzeit
mit Advents- und Weihnachtsliedern
mit den besten Wünschen zum neuen Jahr
mit guten Wünschen für frohe Ostern
zum freudigen Ereignis
zur guten Besserung
mit den schönsten Liebesgedichten
zum Einzug in das neue Heim